Estimula el cerebro de tu hijo

Con más de 200 juegos divertidos

Robert Fisher

Estimula el cerebro de tu hijo

Con más de 200 juegos divertidos

EDICIONES OBELISCO

Si este libro le ha interesado y desea que le mantengamos informado
de nuestras publicaciones, escríbanos indicándonos qué temas son de su interés
(Astrología, Autoayuda, Ciencias Ocultas, Artes Marciales, Naturismo,
Espiritualidad, Tradición...) y gustosamente le complaceremos.

Puede consultar nuestro catálogo en www.edicionesobelisco.com

Colección Psicología
Estimula el cerebro de tu hijo
Robert Fisher

1.ª edición: junio de 2013

Título original: *Brain Games for Your Child*

Traducción: *Raquel Mosquera*
Corrección: *M.ª Jesús Rodríguez*
Diseño de cubierta: *Enrique Iborra*

© 2011, Robert Fisher
(Reservados todos los derechos)
© 2013, Ediciones Obelisco, S. L.
(Reservados los derechos para la presente edición)

Edita: Ediciones Obelisco S. L.
Pere IV, 78 (Edif. Pedro IV) 3.ª, planta 5.ª puerta
08005 Barcelona - España
Tel. 93 309 85 25 - Fax 93 309 85 23
E-mail: info@edicionesobelisco.com

Paracas, 59 C1275AFA Buenos Aires - Argentina
Tel. (541-14) 305 06 33 - Fax: (541-14) 304 78 20

ISBN: 978-84-9777-962-3
Depósito Legal: B-13.537-2013

Printed in Spain

Impreso en España en los talleres gráficos de Romanyà/Valls S.A.
Verdaguer, 1 - 08786 Capellades (Barcelona)

Agradecimientos

El autor quiere dar las gracias a Julie Winyard y a Dot y Stuart Childs por ayudar a mejorar este libro, y a los profesores y niños que contribuyeron en su investigación sobre juegos para pensar y aprender. El libro está dedicado a la memoria de sus padres, quienes le introdujeron por primera vez en los juegos familiares.

Introducción

Un buen juego pone tu cerebro en marcha.

Niño de 7 años.

Tu hijo es un asombroso conjunto de posibilidades con una mente y un cerebro diferentes al de cualquier otra persona. No hay nada en la naturaleza tan complejo o maravilloso como el cerebro de tu hijo y disfrutarás de verdad ayudándole a sacar el mayor provecho de él.[1]

Jugar a los juegos de este libro puede ayudar a potenciar el cerebro de tu hijo, facilitar su seguridad y estimular su pensamiento. Estos juegos os proporcionarán horas de diversión, te ayudarán a conocerle mejor y a ayudarle a convertirse en un niño inteligente, feliz y próspero.

El fascinante cerebro de tu hijo

El cerebro humano es el objeto más complejo que conocemos del universo. Los bebés nacen con miles de millones de células cerebrales (también conocidas como neuronas). Pero no es el número de neuronas el que determina su éxito en la vida, sino las *conexiones* entre ellas. El acto de

---

1. *Nota:* en este libro el término «hijo» engloba tanto el género masculino como el femenino.

pensar tiene lugar cuando las células se conectan dentro del cerebro. Son estos patrones individuales de conexiones los que hacen que cada cerebro sea diferente.

Los niños nacen con suficientes células cerebrales como para triunfar en la vida. Algunas de estas células están conectadas entre ellas antes del nacimiento, pero durante la infancia se crean más conexiones a través del proceso de aprendizaje, que ayuda a organizar y reorganizar las conexiones dentro del cerebro. Lo que importa no es el número de células, sino la fuerza de las conexiones entre ellas. Es el número y la fuerza de estas conexiones lo que construye la capacidad cerebral.

La inteligencia de tu hijo se desarrolla cuando su cerebro es estimulado para crear conexiones. Los escáneres cerebrales muestran la diferencia entre un cerebro que ha sido estimulado y otro que no lo ha sido (*véase* Figura 1a i Figura 1b). Aquí es donde tú ayudas a tu hijo, proporcionándole experiencias que estimulen su pensamiento para crear más conexiones en su cerebro. Jugar a juegos de inteligencia ayudará a potenciar su cerebro de manera que ambos disfrutéis.

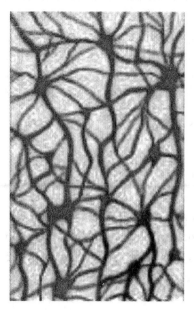 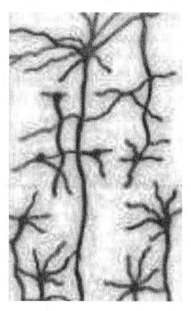

Figura 1a. Cerebro estimulado.   *Figura 1b. Cerebro no estimulado.*

Un cerebro estimulado desarrolla una rica red de conexiones que permite que se produzcan el pensamiento y el aprendizaje. Pero estas conexiones necesitarán ser reforzadas mediante la práctica. Un niño necesita repetir ciertas experiencias, como subir escalones o jugar a un juego, para aprender cómo hacerlo bien. Cuanto más practique mejor lo hará. Por eso a menudo querrá jugar a su juego favorito, o escuchar su cuento preferido una y otra vez. Como un niño me dijo una vez: «Si vuelves a jugar te sale mejor, ¡y tienes más posibilidades de ganar!».

Un niño pequeño realizará la mayor parte de su aprendizaje en casa con sus padres y cuidadores; no en la guardería, en un grupo de actividades o en colegio. Su futuro éxito se construirá sobre la base de sus experiencias de aprendizaje más tempranas. Crear un entorno de aprendizaje feliz conllevará esforzarse, pero ese esfuerzo os dará satisfacción y, cuanto más divertido sea, más ganas tendréis de jugar juntos. Recuerda que jugar a juegos de inteligencia no se trata de crear un ambiente enrarecido que provoque presión sobre ti y sobre tu hijo. Se trata de estimular la habilidad de pensar de tu hijo mediante juegos que son divertidos y también desarrollar su inteligencia.

¿Qué necesita el cerebro de tu hijo?

Conocemos muchas cosas acerca de qué es lo que ayuda al cerebro a funcionar mejor. Aquí tenemos, por ejemplo, seis cosas que necesita el cerebro para funcionar bien. Éstas son:

- comida
- bebida
- oxígeno
- ejercicio
- descanso
- estímulo

El cerebro funciona mejor cuando el cuerpo está sano y en forma. Es un órgano hambriento, el más hambriento del cuerpo humano. Necesita comida, bebida y aire fresco (oxígeno) para funcionar bien. Anima a tu hijo a hacer una gran cantidad de ejercicio como bailar, gatear, voltearse, balancearse, trepar, estirarse, correr y saltar para que la sangre fluya bien al cerebro. Debería hacer ejercicio cada día porque la gimnasia corporal es también buena para el cerebro.

Alimenta a tu hijo con comidas y bebidas saludables, asegúrate de que reciba una buena cantidad de aire fresco y de que tenga buenos períodos de sueño y descanso. Cerciórate de que obtenga el estímulo mental que su cerebro necesita. ¡Haz que tenga que pensar cada día mediante juegos de inteligencia!

Ninguna otra especie continúa jugando durante tanto tiempo como el ser humano. Tu hijo necesita jugar y los mejores juegos son los «juegos de inteligencia». Un juego se transforma en «juego de inteligencia» cuando le desafía a pensar y a solucionar problemas, en lugar de ser un juego repetitivo que no requiere ningún esfuerzo o concentración. Los juegos de inteligencia desafían al niño a pensar en lo que está haciendo y, para jugar bien, necesita la ayuda de otras personas, sus padres, amigos o cuidadores, que le ayudarán a jugar y a estimular su pensamiento.

¿Cómo te ayudará este libro?

En este libro hay más de doscientos juegos, divididos en cuatro apartados que cubren la primera década de vital importancia de la vida de tu hijo. La primera etapa va desde el nacimiento a los tres años, la segunda de los tres a los seis años, la tercera de los seis a los nueve años y la cuarta de los nueve años en adelante.

1. Juegos de inteligencia 0-3 años
2. Juegos de inteligencia 3-6 años
3. Juegos de inteligencia 6-9 años
4. Juegos de inteligencia 9+ años

Los niños varían en el modo en que se desarrolla su cuerpo y su mente. Algunos pueden jugar a juegos para niños de nueve años o más antes de cumplir los seis, otros prefieren jugar a juegos indicados para niños más pequeños (los niños están normalmente menos desarrollados física y mentalmente que las niñas de su misma edad). Así que puede que tu hijo disfrute jugando a juegos de las varias etapas de que se ocupa este libro.

La obra incluye juegos de toda la vida, además de juegos nuevos. Lo que tienen en común todos los juegos es que dependen de los seres humanos, máquinas o equipos electrónicos. Se trata de conseguir que tu hijo hable y juegue con otras personas, en lugar de sentarse delante de una máquina. Los juegos electrónicos son divertidos y pueden ser útiles para hacerle pensar rápidamente, pero en general están basados en un rango de habilidades muy limitado. Una exposición prolongada a videojuegos trepidantes puede ser perjudicial al provocar que no se pueda mantener la atención por períodos prolongados. Puede que los videojuegos no lo animen a pensar, a hablar con otras personas o a concentrarse, justo al contrario que los juegos de inteligencia de este libro. Los juegos que presentamos aquí solamente necesitan materiales simples que se pueden conseguir fácilmente y gente con la que pueda jugar y comunicarse. Estos juegos le animarán a prestar atención y le ayudarán a desarrollar un amplio abanico de habilidades que incluyen sus aptitudes lingüísticas y matemáticas.

¿Qué habilidades desarrollan los juegos?

Jugar a estos juegos motivará a tu hijo a hablar además de pensar. Como dijo Joe, un niño de nueve años: «Tienes que ser bueno hablando si quieres ser bueno pensando». Al final de cada juego hay una lista con las habilidades que desarrolla. Aparte de hablar y escuchar, estas habilidades incluyen:

- concentración: prestar atención, observar y pensar cuidadosamente;
- pensamiento lógico: tomar decisiones basadas en el razonamiento y en la lógica;
- pensamiento creativo: usar la imaginación y plantear nuevas ideas;
- pensamiento estratégico: pensar con antelación y valorar las consecuencias de las decisiones;
- resolver problemas: abordar los problemas y superar obstáculos;
- aptitudes lingüísticas: desarrollo del vocabulario, lectura, escritura y otras aptitudes;

- aptitudes matemáticas: desarrollo de la comprensión de formas numéricas y geométricas;
- pensamiento visual: desarrollo de la comprensión de formas visuales, imágenes y dibujos;
- aptitudes sociales: cooperación con otras personas, seguir las normas del juego, ganar y perder con elegancia.

La concentración es necesaria si tu hijo va a seguir unas normas, solucionar problemas y aprender cosas nuevas. Es una habilidad que no acostumbra a estar presente de forma natural y es necesario practicarla. Ayúdale a prestar atención para que saque el mayor partido de los juegos a los que juguéis. Indícale y dile cosas que le interesen y entusiasmen. Elogia sus esfuerzos por solucionar las cosas.

Resolver problemas requiere muchos tipos de pensamiento: pensamiento lógico, pensamiento creativo, pensamiento estratégico, planificación y toma de decisiones. Por ejemplo, *Casillas* (*véase* página 82) es un juego sencillo para dos jugadores en el que cada uno debe alternativamente dibujar líneas entre puntos en una hoja de papel para crear casillas. Para jugar bien tienes que pensar con antelación en las consecuencias de lo que vas a hacer. Cuando jugué con uno de mis hijos y perdí, ¡recordé una vez más la importancia de concentrarse en el juego!

Muchos de los juegos requieren que los jugadores hablen entre sí. Cuanto más juegue con palabras y sonidos, mayor será el éxito de tu hijo a la hora de aprender a leer y escribir. Lo mismo ocurre con las aptitudes matemáticas. Cuanto más juegue con números, lleve las puntuaciones, por ejemplo, a través de juegos de dados (*véase* página 90) y aprenda a reconocer formas jugando con ellas (*véase* página 36), más le estarás ayudando a prepararse para los desafíos matemáticos del colegio.

El pensamiento visual es igualmente importante. Más de la mitad de la actividad del cerebro humano empieza al procesar lo que uno ve. Entender fotografías, imágenes y dibujos es una habilidad esencial en el mundo moderno.

El artista Paul Klee describió el arte de dibujar como llevar a una línea de paseo. Puede que tu hijo no se convierta en un gran artista como Klee, pero practicando el dibujo mejorará y se sentirá más seguro. La práctica de juegos para dibujar (*véase* página 81) ayudará a desarrollar sus aptitudes artísticas y visuales. Procura llevar papel y unos lápices de colores en tu bolso cuando salgas con un niño pequeño para que pueda dibujar cuando tenga que estar quieto o esperar.

Las aptitudes sociales y la confianza, además de la habilidad de sobrellevar emociones conflictivas, se desarrollan jugando con otras personas. Tal y como lo planteó un niño: «¡Quiero jugar pero a la vez no quiero jugar porque odio perder!». La autodisciplina que viene de la habilidad de controlar nuestras emociones y de entender las emociones de los demás (lo que los expertos llaman inteligencia emocional), es vital para tener éxito en la vida. Ayúdale a entender y a controlar sus emociones; es más importante que saber la respuesta correcta o ganar un juego.

Encontrarás una lista de juegos al final del libro. ¡Elige uno y empezad a jugar!

Cómo jugar a los juegos

1. Enseñar un juego nuevo

Asegúrate de que todo el mundo sabe cómo jugar antes de empezar. Si ya has jugado anteriormente, pídele a tu hijo que te recuerde (a ti y al resto de jugadores) cuáles son las reglas.

Cuando le enseñes a tu hijo un juego nuevo recuerda:

- hablar de cara a tu hijo, manteniendo un contacto visual frecuente;
- utilizar palabras sencillas, frases cortas y repetir lo que es importante;
- añadir gestos que ayuden a explicar el juego y señalar objetos y situaciones específicas;
- comprobar que tu hijo entiende lo que estás explicando;
- pedirle que explique el juego e invitarle a hacer preguntas;
- hablar del juego mientras jugáis y demostrar que lo estás disfrutando;
- no preocuparte si no quiere jugar. Inténtalo en otro momento o con otro juego.

Comparte con él tus juegos favoritos, averigua a qué le gusta jugar y experimenta una vez más los placeres de la infancia.

2. Escoger quién juega primero

Una vez que todo el mundo sabe cómo jugar necesitas decidir quién empieza el juego. Hay muchas formas de escoger quién empieza primero, por ejemplo:

- dar la oportunidad de jugar primero al jugador más joven;
- empieza el jugador a la izquierda de la persona que reparte las cartas;
- preguntar qué jugador quiere empezar;
- lanzar una moneda al aire;
- tirar un dado (empieza quien saque la puntuación más alta);
- escoger una carta de la baraja (quien saque la carta más alta empieza);
- pedir a los jugadores que adivinen en qué mano tienes un objeto escondido.

Quienquiera que empiece, dale a otro jugador la oportunidad de empezar en cada ronda. Una vez ha empezado el juego normalmente continúa el jugador situado a la izquierda, siguiendo el sentido de las agujas del reloj.

3. Jugar al juego

No hay una sola forma de jugar a un juego, así que adáptalo para jugar a tu manera. Si un juego no funciona, cambia las normas para que resulte más sencillo o más interesante. ¡Jugad de la manera que más os convenga a ti y a tu hijo!

Dale a tu hijo algunas pistas sobre la mejor estrategia para ganar. Pregúntale, por ejemplo: «¿Qué pasa si haces esto?» o «¿Qué tienes que acordarte de hacer aquí?». Después de jugar habla con tu hijo sobre cómo ha ido el juego.

Presta atención a las señales que indiquen que tu hijo está cansado o aburrido del juego. Déjale descansar, prueba a cambiar de juego o túrnate con tu pareja para jugar. Quizá mamá juegue una noche y papá la siguiente. Intenta involucrar en estos juegos a quienes estén a cargo de tu hijo.

Conclusión

Jugar contigo hará los juegos más interesantes para tu hijo y tendrás la recompensa de saber que no sólo estás estimulando su cerebro, sino también creando vínculos y recuerdos que durarán toda la vida. Así que siempre que podáis, ¡haced de las vuestras y a jugar!

1

Juegos de inteligencia para bebés (0-3 años)

Tu bebé nace con un cerebro que contiene todos los elementos de la inteligencia humana, así que lo único que necesita es ayuda para desarrollarla.

Los bebés recién nacidos reconocen la voz de sus madres, pero les resulta difícil enfocar los ojos o interpretar el mundo durante los primeros dos o tres meses. Averiguan cosas en gran parte a través de los ojos, pero su enfoque está limitado a unos veinte o veinticinco centímetros y cualquier objeto a mayor o menor distancia aparece borroso. Al cabo de unas seis semanas los ojos enfocan pero permanecen miopes durante algún tiempo. Empieza a reconocer caras y después, gradualmente, empieza a ver y a entender el mundo que le rodea. Ayúdale en este proceso de desarrollo jugando desde el nacimiento a juegos como *Mira esto*, *Mira cómo se mueve* y *¡Cucú!* (*véanse* juegos 1-9).

Habla con tu bebé mientras juegas con él. Responde a sus balbuceos con respuestas alegres. Repite tus sílabas lentamente con voz aguda cuando digas: «¡Mira esto!» o «¡Qué bebé tan listo!». Habla despacio, con voz cantarina y con un tono ligeramente más agudo, ya que capta la atención de tu bebé durante más tiempo que el tono de voz habitual. Los expertos llaman a este tipo de habla «maternés».

Alrededor de los tres meses de edad un bebé sano es cada vez más consciente de su entorno. Manipula con habilidad el comportamiento de su madre y otras personas que le cuidan para recibir su atención, cuidados y la comida que necesita mediante una mezcla de miradas, expresiones faciales y voz (el llanto). Su cerebro se desarrolla a través del juego y la interacción con otras personas. Los objetos que se mueven o emiten algún sonido le fascinarán, así que colgar móviles donde está el bebé ayuda a su interés visual y a su desarrollo. Después de los tres meses inicia a tu hijo en nuevos tipos de juegos (*véanse* juegos 10-15).

Los bebés de un mes suelen emitir sus primeros balbuceos a partir de experiencias placenteras como el juego. La capacidad para entender lo que dicen los demás se desarrolla gradualmente desde los seis meses aproximadamente. Desde los seis hasta los nueve meses, los bebés pueden repetir sonidos vocales que empiezan a sonar como el habla, como «dadadada». Ayúdale «adivinando» qué es lo que está intentando decir. Las primeras palabras aparecen normalmente después del primer año, seguidas por una explosión de palabras aproximadamente en la mitad del segundo año, ya que repite cada vez más lo que oye. Hablar con tu hijo y animarle a que responda le ayudará de veras en el desarrollo del lenguaje.

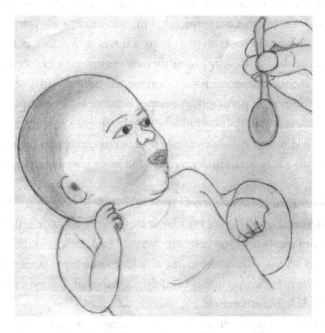

Fig. 2 Bebé observando un objeto sostenido.

Juega con cuentos, canciones, rimas, juegos de acción, juegos musicales, dibujos y otros juegos activos para fomentar el rango de aptitudes en desarrollo de tu hijo (*véase* lista de aptitudes en las páginas 12-13. Estos juegos de inteligencia, que incluyen los juegos de simulación, le ayudarán a prepararse para la siguiente etapa de su desarrollo que empieza alrededor de los tres años (*véanse* juegos 15-30).

Juegos de inteligencia para bebés (0-3 años)

1. ¡Mira esto!
2. Mira cómo se mueve!
3. ¡Cucú!
4. Sonidos divertidos
5. Caras divertidas
6. Hacer música
7. Bla, bla, bla
8. ¡Sigue el ritmo!
9. Juegos táctiles
10. Paquete sorpresa
11. Sácalo y guárdalo
12. Palmas alegres y rimas con dedos
13. Marionetas de dedo y con calcetines
14. Plastilina
15. Ordénalo
16. Cobrar vida
17. Diversión con pintura
18. Cuentos sobre mí
19. Libros para bebés
20. Rompecabezas con formas y dibujos
21. Búsqueda del tesoro
22. Simón dice
23. Construye una torre
24. Juegos de simulación
25. Cuentos musicales
26. ¡Vamos a bailar!

1. ¡Mira esto!   *Edad 0-18 meses*

Reúne varios objetos cotidianos de la casa y enséñale dos o tres objetos nuevos cada pocos días. Trata de escoger objetos coloridos o con motivos llamativos y cosas con las que puedas hacer ruido. Sujeta el objeto a unos treinta centímetros de su cara y pregúntale: «¿Qué es esto?». Dale tiempo para que explore el aspecto de cada objeto. Dile qué es y lo que puedes hacer con él. Deja una muestra de dos o tres objetos colgando sobre su cuna para que pueda verlos y examinarlos en cualquier momento.

- **Gimnasio para la cuna**

  Ponle un gimnasio en la cuna para que juegue con él. Puedes colgar objetos de colores vivos de una cuerda o de una barra estable que atraviese la cuna para estimular sus sentidos. Empezará a observar esos objetos interesantes de colores vivos y, más adelante, querrá tocarlos o golpearlos con las manos.

- **¡Mira esto!**

  Muéstrale algo a tu bebé y dile qué es, por ejemplo: «¡Mira esto! ¡Es una cuchara!». Recuerda hablarle claro y muy despacio. No entenderá lo que dices, pero estará aprendiendo los sonidos del habla y conociendo cosas de su extraño nuevo mundo.

- **¿Qué es esto?**

  Mirad libros de bebés juntos, por ejemplo, libros hechos de tela o de cartón duro. Escoge libros con dibujos simples y claros de objetos cotidianos. Señala un dibujo y di: «¿Qué es esto?». Después háblale sobre él e intenta enseñarle un objeto real que coincida con el dibujo.

- **¡Mira la luz!**

  Lleva a tu bebé a una habitación oscura y siéntate con él en una silla o en el suelo. Enciende una linterna y dile: «¡Mira la luz!». Mueve la luz lentamente enfocando varios objetos, como dibujos o juguetes, y dile qué son. Si a tu bebé le da miedo la oscuridad, deja la puerta abierta o enciende una luz tenue. Nunca lleves la luz de la linterna a sus ojos.

Habilidades clave: desarrolla la coordinación del cerebro y los ojos, el oído y las primeras aptitudes lingüísticas.

2. ¡Mira *cómo se mueve*!   *Edad 0-1 año*

Cuando ya pueda seguir el movimiento con los ojos juega a *¡Mira cómo se mueve!* Sujeta un juguete a un palo y muévelo de lado a lado para que pueda seguirlo con la mirada. Después prueba a moverlo de arriba abajo, de dentro hacia afuera y en otra direcciones.

- **¡Mira *cómo se mueve*!**

  A medida que gane control de su cabeza apóyalo en unos cojines y enséñale todas las direcciones en las que se pueden mover las cosas. Haz pompas de jabón, juega con globos, bota y haz rodar pelotas y después enséñale cómo se pueden derribar bolos con una bola.

- *Golpea* **un móvil**

  Dale un móvil que pueda golpear con los dedos. Cuelga los objetos a unos treinta centímetros de los ojos de tu bebé en el lado derecho o izquierdo de la cuna. Al principio lo mirará pero no lo tocará. Más tarde aprenderá a chuparlo y golpearlo con la mano.

- **Mastica un libro**

  Cuando tu hijo tenga unos cuatro meses dale unos libros de cartón duro. Aprenderá no sólo a masticar libros sino también a pasar las páginas. La acción de masticar ayudará a sus encías y el pasar páginas, mucho antes de que sepa leer, le enseñará que los libros son divertidos y que las páginas se pueden mover.

- **Dámelo**

  Jugad a pasaros cosas. Sujeta un peluche fuera de su alcance y muévelo para que «baile» delante de él. Si tu bebé emite un sonido o se mueve como respuesta, dáselo y dile: «Aquí tienes. Puedes jugar con...». Después extiende tu mano y dile: «Dámelo».

- **Sé un copión**

  Jugad a imitar. Siéntate delante de tu bebé en su trona y dale una cuchara. Coge tu propia cuchara y golpea una bandeja con ella. Observa si copia lo que haces, si no coge su mano y enséñale cómo dar golpes con la cuchara. Deja que imite cómo mueves los dedos, cómo dices que no con la cabeza, cómo sacas la lengua, cómo te tocas las orejas, cómo agitas la mano o cómo aplaudes. Dile qué estás haciendo mientras lo haces. Más adelante tu bebé aprenderá que los objetos existen no sólo cuando se mueven, sino también cuando no están a la vista.

Habilidades clave: percepción visual, coordinación del cerebro y las manos.

3. ¡Cucú! *Edad 2-18 meses*

Enséñale a tu bebé cómo los objetos pueden permanecer en su mente aunque no estén a la vista jugando a *¡Cucú!* Tápate los ojos con las manos, ábrelas y grita: «¡Cucú!». Varía el juego echando un vistazo por cualquiera de los lados de las manos y cambiando de posición. Prueba a volver la cabeza y darte la vuelta de repente y a esconderte detrás de objetos o muebles. Pronto aprenderá a anticiparse a tu reaparición.

- **¡Cucú!**

  Cúbrete la cabeza con un pañuelo y di: «¿Dónde ha ido mamá/papá?». Espera unos segundos y quítate el pañuelo rápidamente diciendo: «¡Cucú!». Puedes jugar escondiéndote detrás de una silla, de una puerta, de las cortinas o de otra persona. Juega mientras haces varias actividades como las tareas del hogar, mientras planchas o limpias. Tómate las tareas de casa como una oportunidad para jugar a esconderte. Haz sonidos divertidos mientras lo haces.

- **¡Aquí está!**

  Enséñale un juguete a tu bebé y después escóndelo, por ejemplo debajo de una manta o detrás de tu espalda y pregunta: «¿Dónde ha ido?». Hazlo aparecer de nuevo y di: «¡Aquí está! Estaba debajo de la manta/detrás de mí». Al principio es mejor ser predecible para que tu bebé se pueda anticipar a la reaparición del juguete. ¡Después prueba a hacer aparecer el juguete en sitios extraños!

- **¿Adónde ha ido?**

  Esconde un objeto pequeño en una mano y juega a: «¿En qué mano está?». Una variante consiste en poner una uva debajo de una taza y decir: «¿Adónde ha ido?». Después levantas la taza y dices: «¡Está aquí!». Más adelante, cuando tenga alrededor de un año, prueba a esconder una uva debajo de una o dos tazas y pregúntale dónde ha ido. Después comprueba si tu hijo puede esconder un objeto debajo de una taza para que lo encuentres.

  Juega a otros juegos de este tipo, como esconder juguetes debajo de un trapo, y pregunta: «¿Dónde se ha escondido el osito?».

Habilidades clave: desarrolla la percepción, la memoria, la predicción y la resolución de problemas.

4. Sonidos divertidos   *A partir de 2 meses*

Encuentra cosas que hagan sonidos divertidos como sonajeros, campanas, papel, objetos de cristal o latas. Haz ruido desde posiciones diferentes. Por ejemplo, agita un bote pequeño de arroz a su izquierda y después a su derecha. Espera a que mire para averiguar de dónde proviene el sonido.

Los sonidos más divertidos pueden salir de tu voz. Los humanos podemos emitir una mayor variedad de sonidos que ningún otro animal. Tu hijo puede emitir un sonido en cualquier idioma humano si le animas a ello. Compruébalo emitiendo sonidos divertidos y observando si te imita.

- **Sonidos divertidos**

  Prueba a emitir sonidos simples y agudos como: «¡Uyyy!», y algunos graves como: «¡Uuuh!». Llámale o reproduce sonidos divertidos desde diferentes partes de la habitación, empezando en voz baja y después más alta, animándole a seguir tu voz. ¿Cuántos sonidos divertidos puedes hacer?

  La próxima vez que tu bebé te dé un codazo haz un sonido divertido, como un zumbido. Probablemente lo intentará otra vez, así que repite el sonido cada vez que te dé un codazo. Después de un tiempo prueba un sonido diferente como «plaf», «piii» o «pum» y haz una mueca. Termina el juego diciendo por ejemplo: «Me has hecho hacer plaf/piii/pum. ¡Qué niño tan listo!». Varía el juego haciendo sonidos de animales diferentes. Observa qué sonidos quiere hacer tu bebé cuando le des un codazo.

  Habilidades clave: aptitudes auditivas, vocales y prelingüísticas.

5. Caras divertidas

No hay nada tan interesante para un bebé como una cara humana. Las expresiones faciales simples, como dos puntos en una cartulina, le harán sonreír, así que dibújale caras divertidas para que las mire. Hacia las ocho semanas preferirá las caras reales pero puede que los dibujos aún le hagan sonreír.

Hacia los cuatro meses probablemente sólo sonreirá ante caras que conozca. Diviértele no sólo dibujando, sino también haciendo muecas y sonidos divertidos a la vez. Prueba diferentes expresiones faciales y sonidos para desarrollar la visión y el oído de tu bebé. Aquí tienes algunas ideas: parpadea, saca la lengua, tose o bosteza, canta una canción moviendo mucho los labios, haz contorsiones con la boca, mueve las orejas y sacude la cabeza. Anímale a que te imite.

- **Juegos con espejos**

  A partir de los seis meses aproximadamente sujétalo en tu regazo con un espejo. Pregúntale: «¿Quién está en el espejo?» y enséñale que cuando se mueve, su reflejo también lo hace, ¡y que la cara divertida del espejo eres tú! Dale un espejo para que juegue en su parque.

- **Caras divertidas**
  A medida que tu hijo se haga mayor, enséñale fotos de caras divertidas en libros o revistas. Di lo que expresa la cara, por ejemplo «triste», «contento», «viejo» e intenta poner una cara parecida.

Los niños más mayores pueden empezar a disfrutar y a hacer sus propias máscaras.

Habilidades clave: reconocimiento de caras, aptitudes perceptivas y lingüísticas.

6. Hacer música   *A partir de 2 meses*

Un niño pequeño estaba haciendo un ruido espantoso en la cocina golpeando unas latas con una cuchara. «¿Qué es ese ruido?», grité. «Es Tom», contestó mi esposa, «¡Está componiendo su primera pieza musical!». A los bebés les encanta hacer ruido, así que anímale tanto como puedan soportar tus nervios con instrumentos que emitan sonidos musicales. Tan pronto como pueda sujetar objetos, dale un sonajero o, por ejemplo, una botella de plástico tapada con un corcho llena de alubias u otras cosas que hagan ruido y pueda sacudir.

- **Toca el tambor**
  A partir de los seis meses, aproximadamente, dale diferentes tipos de «tambores» para que los golpee, como por ejemplo un cazo con una cuchara de madera, y pon música en tu reproductor de CD para que pueda golpearlo y gritar al compás de la música.

- **Escucha esto**
  Déjale escuchar sonidos hechos, por ejemplo, al dejar caer diferentes objetos como la tapa de una cacerola, un bloque de madera o una campanilla. Escucha y háblale de sonidos naturales como el tictac de

un reloj, el canto de un pájaro, timbres de teléfono, sonidos de animales, del clima, el gotear de un grifo o el salpicar del agua.

Motiva a tu hijo para que escuche sonidos a vuestro alrededor mientras los haces: aplaude, da golpecitos, golpes fuertes, patadas, silba, llora, ríe, chirría y demás, y háblale sobre los sonidos que puede escuchar (*véase también Tarros musicales* en la página 70).

Habilidades clave: auditivas, musicales y lingüísticas.

7. Bla, bla, bla   *2 meses-3 años*

El sonido preferido de los bebés es el del habla. Cuando les hablas se vuelven hacia ti y hablándole a tu bebé mantienes activo su cerebro. Cuando la radio o la televisión están encendidas se vuelven para escuchar de dónde provienen las voces.

- **Habla de ello**
  Habla con tu bebé a todas horas y en todas partes. A la hora del baño, toca y nombra cada parte de su cuerpo mientras le lavas. Mientras le vistes, háblale de la ropa que le estás poniendo. Mientras cocinas o limpias, habla de lo que estás haciendo. Cuéntale cuentos a tu bebé, puedes incluso explicarle tus problemas sabiendo que los sonidos que emitas le beneficiarán. No importa si tu bebé no entiende lo que le dices; aprenderá a hablar aunque no le hables constantemente, pero aprenderá más rápido si lo haces.

- **Crea una conversación**
  Una conversación puede convertirse en un tipo de juego para intentar perseverar con tu hijo. A partir de dieciocho meses, aproximadamente, cuando aprenda a hablar, construye su lenguaje intentando crear una conversación nueva cada día. Usa frases completas y mantén la conversación viva haciendo preguntas e inventándote historias.

Invítale a convertirse en parte del juego. Prueba a transformar cualquier cosa que diga en una conversación. Por ejemplo, si tu hijo dice: «Hay un gato», di por ejemplo: «Sí, mira su pelo negro y brillante y sus bigotes», «¿Te acuerdas cuando vimos aquel gato blanco como la nieve?» o «Me pregunto en qué estará pensando el gato».

Habilidades clave: conexión de ideas, estimulación de la imaginación, desarrollo del lenguaje.

8. ¡Sigue el ritmo! *A partir de 2 meses*

Compartir ritmos y rimas con tu bebé ayudará a estimular sus aptitudes lingüísticas. Todos los bebés responden al ritmo. El primer ritmo del que es consciente es el del latido del corazón de su madre. Antes de aprender a hablar ya se puede percibir el ritmo del habla en sus balbuceos. Le encantarán los movimientos rítmicos, que le acunen, los sonidos rítmicos como los poemas y la música rítmica como las canciones de cunas. Haz botar a tu bebé sobre tus rodillas al ritmo de la música o de su canción favorita, o cógelo en tus brazos y baila con él por la habitación. ¡Dale ritmo!

- **Canciones y bailes infantiles**
  Las canciones infantiles imitan el ritmo del habla, así que recita y canta canciones infantiles con regularidad a tu bebé. Acúnale o baila con él en tus brazos al ritmo de las palabras que recites o cantes.

- **Canciones con acciones**
  Alrededor de los seis meses puedes empezar a añadir acciones a las palabras y alrededor de un año será capaz de seguir una canción con acciones como *Las ruedas del autobús*. Si no tienes tiempo para cantar canciones o recitar versos compra un CD para que tu bebé lo escuche.

A partir de los dos años introduce acciones al ritmo de las canciones infantiles. Empieza con versos conocidos como *Palmas, palmitas* y pasa a canciones con acciones como *Pin Pon es un muñeco*. Anímale a cantar contigo para ayudarle a seguir el ritmo.

Un buen ejemplo de canción con acciones es:

(Nombre del bebé) se fue a París,
en un caballo gris,
al paso, al paso, al paso.   Haz botar a tu bebé arriba y abajo
                                  en tus rodillas.

Al trote, al trote, al trote.
                                  Bota más despacio pero con más energía.

¡al galope!, ¡al galope!, ¡al galope!
                                  Hazle botar de lado a lado.
                                  Abre las piernas y deja que se deslice hacia
                                  abajo.

Habilidades clave: rítmicas, musicales, predicción, aptitudes auditivas y lingüísticas.

9. Juegos táctiles   *A partir de 2 meses*

Dale a tu hijo diferentes objetos para que los toque. Pon en sus manos objetos de diferentes texturas: duros, blandos, rígidos, maleables, sedosos, gruesos, finos, cálidos, húmedos, secos, lisos, afelpados o cualquier cosa que pueda manejar con seguridad. El puño de un bebé no se relaja completamente hasta un mes después del nacimiento. Ayúdale a sujetar cosas. Empieza por poner tus dedos a su alcance para que los agarre y más adelante ponle en las manos sonajeros y juguetes pequeños (asegúrate de que ninguna de las cosas que le das se pueden tragar).

- **Sujétalo**
  Después de los seis meses, aproximadamente, los bebés pueden sujetar una gran variedad de objetos, como juguetes de plástico o tazas, tapas, anillas y cualquier material limpio que quieran masticar. Ten cuidado con los objetos pequeños que se puedan tragar o con algún tipo de tinta que pudiera ser tóxica. Colócale sobre diferentes superficies y haz que preste atención a distintas texturas y al tacto que tienen.

- **Garabatos**

  A partir de los doce meses la mayoría de los niños pueden sujetar un lápiz de color en las manos y empezar a garabatear. Si se les motiva, casi todos los niños pueden hacer garabatos de arriba abajo antes de los quince meses y en círculos antes de los veintiún meses. Dale hojas de papel grandes para que desarrolle su habilidad para garabatear. Esto sienta las bases para las futuras habilidades de escritura.

- **Objetos misteriosos**

  Cuando tenga dos o tres años pon «objetos misteriosos» en una bolsa y observa si puede adivinar lo que es cada cosa a través del tacto. Haz que describa lo que siente. Para hacer una «caja misteriosa» forra una caja de cartón con papel de regalo, hazle un agujero en cada lado para que tu hijo pueda meter las dos manos en la caja y llénala de objetos misteriosos. El objetivo del juego es que describa y nombre cada objeto, y que lo saque después para ver si lo ha acertado.

Habilidades clave: manipulación, conciencia táctil y coordinación de las manos y los ojos.

10. Paquete sorpresa

A partir de 6 meses

Los niños de todas las edades son increíblemente curiosos. *Paquete sorpresa* es un juego que disfrutarán de verdad. Empieza mostrándole cómo escondes un juguete bajo un trapo y después enséñale cómo encontrarlo. Envuelve un juguete pequeño en tres o cuatro capas de papel sin pegarlo, sólo doblándolo. Después dáselo para que lo desenvuelva. Repite el juego con envoltorios diferentes y un juguete sorpresa distinto cada vez.

- **Esconde un juguete**

  A partir de un año puedes enseñarle a esconder un juguete bajo una toalla y ver si puede crear su propia sorpresa. A partir de los dos años aproximadamente los niños pueden aprender a abrir sus propios regalos sorpresa.

- **Caja de pañuelos mágica.**

  Estimula la curiosidad de tu bebé con una caja de pañuelos de papel vacía y unos trozos de tela o pañuelos ligeros y coloridos.

  1. Ata los pañuelos entre sí (por los extremos) y colócalos dentro de la caja vacía. Deja un pequeño extremo de un pañuelo fuera, suficiente como para despertar el interés de tu bebé.
  2. Atrae la atención de tu bebé y empieza a tirar de la tira de pañuelos y dile: «Mira lo que he encontrado, ¡ahora prueba tú!». Ofrécele el pañuelo y probablemente empezará a tirar. A medida que se haga mayor, también puedes enseñarle cómo volver a meter los pañuelos en la caja para empezar de nuevo.

  Puedes probar a usar un tubo de cartón en vez de una caja de pañuelos. Asegúrate de no dejar nunca solo a tu bebé con la tira de pañuelos atados o se podría enredar en ella.

- **Pasa el paquete**

  A partir de los tres años aproximadamente será capaz de jugar a *Pasa el paquete.*

  1. Envuelve un regalo en muchas capas de papel para crear un paquete sorpresa, pegado ligeramente con celo.
  2. Pon música, mientras los niños se pasan el paquete de uno en uno.
  3. Cuando pare la música, el niño que tenga el paquete desenvuelve una sola capa.
  4. El niño que saca la última capa gana el juego (y el premio).

  Este juego es una buena lección para respetar los turnos y compartir.

Habilidades clave: resolución de problemas, percepción y manipulación.

11. Sácalo y guárdalo *A partir de 6 meses*

A los bebés y a los niños pequeños les encanta llenar y vaciar cosas. Busca un recipiente, como una caja vieja o un cajón, y llénalo de objetos interesantes y juguetes. Le resultará más fácil sacar cosas que volverlas a guardar, ¡una habilidad que mantendrá de por vida!

- **¡Se me ha caído al agua!**
  Desafíale a encontrar algo que hayas dejado caer en el agua.

- **Chapuzón con suerte**
  A partir de los doce meses, aproximadamente, llena una caja de cartón con papeles arrugados y esconde dentro un juguete para que lo encuentre.

- **Juegos para el arenero**
  Ponle a jugar en un arenero a partir de un año aproximadamente y dale una variedad de utensilios como palas, cucharas, cubos, un tamiz o un colador y moldes con los que hacer formas. Esto le proporcionará horas de diversión y desarrollará la comprensión del comportamiento de sustancias fluidas y el uso de herramientas.[2]

- **Busca entre la espuma de afeitar**
  Cuando tu hijo tenga tres años prueba a llenar un recipiente de espuma de afeitar con objetos escondidos dentro. Haz que describa un objeto antes de sacarlo para que puedas adivinar qué es.

Una vez que tu bebé pueda sacar cosas y volverlas a meter en una caja, prueba a jugar con recipientes con tapas o con varios compartimentos y juegos de encajar formas geométricas.

Habilidades clave: desarrolla la coordinación de las manos y los ojos y la manipulación con las manos. Saber que los objetos están ahí, incluso cuando no son visibles, promueve el pensamiento y las aptitudes lingüísticas.

---

2. Para tu arenero utiliza arena fina de calidad, no de construcción. Un arenero exterior debería estar bien protegido de la lluvia y de animales como los gatos, que lo usarán como bandeja sanitaria. Los juegos con arena no tienen por qué ser al aire libre. Una caja, un neumático o un trozo de plástico pueden servir también, o incluso puede ser divertido jugar sólo con un bol de arena.

12. Palmas alegres y rimas con dedos   *A partir de 1 año*

Cuando tu bebé pueda usar las dos manos juntas puedes jugar a juegos de dar palmadas, como *Palmas palmitas*, haciendo aplaudir las manos de tu bebé. La repetición rítmica de palabras que riman ayudan al desarrollo del lenguaje y aplaudir puede contribuir a desarrollar la coordinación de las manos y los ojos, así como los conocimientos rítmicos.

- **El jardín del osito de peluche**
  Di: «Alrededor del jardín como un osito» (mientras dibujas círculos con tu dedo sobre la palma de la mano de tu hijo). «Un pasito» (mueve un dedo hacia la parte baja del brazo de tu hijo). «Dos pasitos, y…» (da dos pasos con el dedo hasta la parte superior del brazo). «¡Te hago cosquillas en el bracito!» (hazle cosquillas debajo del brazo). Los juegos con cosquillas pueden resultar divertidos a partir de las seis semanas.
  Prueba rimas con dedos más elaboradas cuando tu bebé pueda mover cada dedo por separado. Un buen juego es la rima del «conejito».

- **Rima con dedos del conejito**
  «Mete el dedo en la madriguera del conejito» (guía su dedo entre los dedos anular y corazón de tu puño cerrado. «¡El conejito no está en casa! Ha salido un momentito…» (mantén su dedo atrapado y abre tu palma) «¡para comerse este dedito!» (haz como si mordieras el dedo de tu bebé).

Consigue un libro de rimas con dedos en una librería o biblioteca y anímale a copiar tus gestos, usando todos los dedos.

Habilidades clave: desarrolla la coordinación de las manos y los ojos, así como las aptitudes previas a la escritura.

13. Marionetas de dedo y con calcetines   *12-18 meses*

Puedes comprar marionetas de dedo ya hechas. También se pueden hacer fácilmente de papel, pegando un pequeño capuchón para tapar la punta de tu dedo, con la cara y el cabello dibujado, pegado o cosido. Haz como si tu marioneta de dedo fuera una persona real con la que jugar y hablar. Haz dos marionetas y haz que mantengan una conversación, bailen o jueguen al escondite. Más adelante prueba a hacer una marioneta para el dedo de tu bebé.

- **Marionetas con calcetines**

  A partir de veinte meses, aproximadamente, iníciale en las marionetas hechas con calcetines. Se pueden comprar o hacer con fieltro o con un calcetín viejo, con ojos y labios cosidos. La boca puede estar entre tu pulgar y los otros dedos. Enséñale lo que puede hacer la marioneta, por ejemplo hablar, cantar, saludar, recoger cosas o pellizcar narices. Ponle una voz divertida a tu marioneta y, si confeccionas una para cada mano, haz que se digan cosas una a la otra. También puedes usar tu marioneta de dedo o calcetín como personaje de un cuento que le estés leyendo (*véase* página 38).

- **Marionetas con cucharas**

  Haz una marioneta con una cuchara de madera dibujando una cara y envolviendo el mango con un trapo.

- **Marionetas con platos de cartón**

  Los platos de cartón también sirven para hacer caras de marioneta. Utiliza rotuladores para dibujar una cara en cada plato que muestren un sentimiento diferente: sonriendo, durmiendo, sorprendido, llorando, riendo, triste, enfadado, bostezando y demás. Sujeta en alto cada plato e imita la expresión, diciendo por ejemplo: «Aquí está Jane. Está triste. Me pregunto por qué». Invéntate una pequeña historia con dos o más marionetas, por ejemplo: «Jane está triste porque Ben ha cogido su juguete. Vamos a pedirle que se lo devuelva».

  Jugar con marionetas de este modo ayudará a tu hijo a entender los sentimientos de los demás y, por lo tanto, a poder entender mejor los suyos propios (*véase también **Juegos de simulación**, página 46*).

Habilidades clave: desarrolla la imaginación, la comprensión hacia los demás, aptitudes lingüísticas y el movimiento de los dedos.

14. Plastilina

Puedes comprar plastilina o masas para modelar similares, pero es más barato y divertido hacerla uno mismo.

* **Plastilina**

  Mezcla dos tazas de harina, una de sal y una de agua para hacer la masa base. Añade una cucharada de aceite para que tenga una textura más suave, y añade color para que parezca más interesante. Amásalo todo junto y caliéntalo ligeramente en un cazo hasta que sea una masa blanda. Dásela a tu hijo para que juegue cuando todavía esté caliente. Enséñale cómo se pueden hacer formas diferentes estirándola, presionándola y desgarrándola. A medida que se haga mayor, dale diferentes utensilios como cuchillos romos, cortadores de formas, rodillos, sellos con formas y bloques de madera que le ayuden a jugar con la plastilina.

  Los niños normalmente prefieren aplastarla, estrujarla, y machacarla en vez de modelar objetos reales. Utiliza cortadores de masa para hacer formas distintas o aplanarlas en forma de galletas para hornearlas en hornos de mentira. Pídele a tu hijo que haga una bola o que la estire para hacer una serpiente larga y flacucha. Tanto la bola como la serpiente pueden convertirse fácilmente en un animal, mascota o monstruo de plastilina. Puedes reutilizar tu plastilina si la guardas en una bolsa de plástico en el frigorífico.

  La plastilina se puede usar también para hacer formas de números y letras, además de ser una buena preparación para aprender a cocinar.

Habilidades clave: desarrolla el lenguaje y la manipulación, conocimientos matemáticos y científicos sobre la forma y el peso.

15. Ordénalo

Aprender a nombrar objetos significa aprender cómo identificar y clasificar cosas, siendo estas habilidades esenciales del lenguaje, las ciencias y las matemáticas. Ayuda a tu hijo a ordenar y clasificar cosas, ya que es la base del futuro aprendizaje.

- **Clasifica los animales**

  Reúne un grupo de animales de plástico, con al menos dos tipos de cada animal. Coge un animal y di: «Encuentra un animal como éste». Muéstrale, por ejemplo, una oveja y observa si encuentra otra que se corresponda. Si al cabo de un rato no encuentra el animal correspondiente, ayúdale un poco. Repite el juego con animales diferentes. A partir de los dieciocho meses, observa si puede clasificar los animales por parejas y por tipos distintos. Di el nombre de cada animal.

- **Haz una limpieza**

  Juega con objetos de diferentes colores y dile por ejemplo: «Encuentra cosas que sean azules». Clasificar hortalizas también puede resultar divertido. Por ejemplo, empieza pidiéndole que separe las patatas de las zanahorias. Prueba el mismo juego con todo tipo de cosas, como bloques de diferentes formas o un grupo de calcetines.

- **Separa las tuercas de los tornillos**

  Llena un bote con dos tipos de objetos, como tuercas y tornillos, tornillos largos y cortos o monedas grandes y pequeñas. Vuelca los objetos sobre un trapo. Pídele a tu hijo que clasifique dos tipos de objeto y que los ponga en cajas o recipientes diferentes. Pídele después que intente clasificar tres, cuatro, cinco o seis tipos de objetos por toda la casa como monedas, abalorios, pajitas de colores cortadas en trozos o alubias.

- **Encaja las formas**

  Expande los juegos de clasificación básicos haciéndole encontrar formas que se correspondan. Usa, por ejemplo, tres bloques idénticos para hacer diferentes formas. Pídele que haga la misma figura. Enséñale cómo si es necesario y observa si puede copiar tus figuras.

Los juegos de clasificación ayudan a tu hijo a clasificar cosas y a tomar decisiones sobre lo que se corresponde.

Habilidades clave: clasificación, lógica y lenguaje.

16. Cobrar vida
A partir de 1 año

¿Recuerdas cómo cuando eras pequeño simulabas que tu muñeco preferido estaba vivo? La capacidad para imaginar y simular se aprende gradualmente en el segundo año. Al estimular su imaginación le capacitas para pensar más allá de lo que, en realidad, puede hacer cuando juega, por ejemplo, con juguetes, muñecos o sencillos coches.

* **El *osito* cobra vida**
  Ayúdale a jugar con un osito o un peluche hablando con él, simulando que responde y haciéndole caminar, irse a dormir, comer o beber. Di lo que estás haciendo con el osito y lo que el osito te dice. Ayudándole a simular contribuyes a desarrollar su imaginación, a ponerse en el lugar de otra persona y a ser consciente de que los demás tienen necesidades y sentimientos.

* **Simular que...**
  Enséñale cómo finges por ejemplo que bebes de una taza de juguete, o usas un teléfono de juguete para llamar a alguien. Gradualmente te copiará y aprenderá a simular.

* **Un *cuento* cobra vida**
  Los cuentos de los libros pueden usarse para empezar juegos de simulación. Finge estar asustada de un dibujo de un monstruo de un libro de cuentos, o que te comes el pastel de un dibujo. Habla con los personajes del libro y responde a lo que hacen. Las marionetas también son estupendas para jugar a simular (*véase* página 46).

Habilidades clave: desarrolla la imaginación, la conciencia de los demás y las aptitudes lingüísticas.

17. Diversión con pintura
A partir de 20 meses

Coge un poco de pintura y una brocha y enséñale a tu hijo cómo pintar en un papel (o en una pared que estés decorando). Dale un cubo pequeño de pintura más bien líquida, busca una pared o una hoja grande de papel, dale un pincel grueso y déjale salpicar con la pintura. Como mínimo le proporcionará una sensación de éxito. Puede que se diga a sí mismo: «Yo hice esa marca». Puede hacer que está decorando o haciendo un dibujo colorido. Quién sabe si algún día llegará a ser un gran artista o decorador de interiores.

- **Pintar es divertido**
  Dale un pincel grueso y unas hojas de papel. Ponle un delantal y prepara un rincón «que se pueda ensuciar». Enséñale cómo poner pintura sobre el papel volcándola, removiéndola, esparciéndola, haciéndola gotear y usando los dedos. Después deja que experimente él solo. Ensuciar forma parte de la diversión.

- **Peina la pasta**
  Mezcla un poco de pasta de papel pintado con vuestra pintura. Salpícala sobre un papel y enséñale cómo removerla para crear motivos interesantes con un peine, con los dedos u otras herramientas.

Recuerda que los niños de dos años todavía están en edad de experimentar con la pintura y no de hacer dibujos, así que no le preguntes: «¿Qué es?». Disfruta de la diversión experimental de tu hijo con los colores. Intenta que pinte con los dedos, con los pies, con esponjas, plumas, corchos, palos, canicas o con cuerda. Un niño creativo puede pintar cajas por dentro y por fuera, cartones, rocas, globos, paredes y muchas otras superficies. Ten un buen surtido de pinturas a mano para jugar con ellas.

A partir de los tres años puedes iniciar a tu hijo en la imprenta.

Habilidades clave: desarrolla la manipulación con las manos, la imaginación y el conocimiento de la causa y el efecto.

18. Cuentos sobre mí   *A partir de 20 meses*

Hacia el final del segundo año cuéntale cuentos sencillos sobre cuando era más pequeño, por ejemplo: «Éste es tu sombrero de cuando eras un bebé». Las fotos son también un recurso estupendo, por ejemplo: «Éste eras tú cuando naciste», «Éste eres tú en el parque», «Ésta es mama cuando…». A medida que pase el tiempo puedes transformar estas pequeñas dosis de información en cuentos más largos.

- **Cuentos del cuerpo**
  Puedes ayudarle a aprender más sobre sí mismo nombrando cada parte de su cuerpo, por ejemplo: «Ésta es tu nariz, ésta es tu oreja» y demás. El acto de contar empieza con el cuerpo de tu bebé: «Tienes una nariz, dos orejas y uno, dos, tres, cuatro, cinco dedos en los pies». Pellizca cada dedo mientras dices: «uno, dos, tres, cuatro, cinco; estoy contento y doy un brinco. Seis, siete, ocho, nueve, diez; me río y salto otra vez».

- **Historias del día**
  Recuérdale a tu hijo alguno de los momentos importantes del día, por ejemplo si habéis salido a comprar, a visitar a un amigo o a un familiar, algún animal o algo que haya visto u oído, o lo que ha desayunado. Comparte las historias de tu infancia para ayudarle a recordar la historia de su día, tal vez justo después del baño o antes de irse a dormir. Cuéntale historias sobre tu día.

- **Historias del pasado**
  Cuéntale historias sobre ti para recordarle qué ocurrió en el pasado. A un niño pequeño le resulta difícil hablar de cosas que no estén presentes. Hablar de acontecimientos que ya han pasado le ayudará a imaginarse el pasado y fijarlo en su memoria. Más adelante podrá recordar acontecimientos y contarte historias sobre él.

Habilidades clave: entender el pasado y el presente, desarrollar la memoria, aptitudes lingüísticas y numéricas.

19. Libros para bebés   *A partir de 12 semanas*

A pesar de la televisión y los ordenadores, los libros todavía sustentan gran parte de nuestra educación, lectura y aptitudes lingüísticas. Enséñale a tu bebé libros con ilustraciones a partir de las seis semanas aproximadamente. Los libros con formas simples y colores lisos son los que mejor funcionan. Pásale las páginas (es probable que no pueda hacerlo por sí mismo hasta que tenga un año aproximadamente).

- **Leer libros de bebé**

  Hay muchas formas de compartir libros. Una de ellas es darle a tu hijo un libro para que lo mire y juegue él solo. Otra es acurrucarte con él para compartir un libro. Muchos padres y cuidadores empiezan a leer cuentos y poesías a sus hijos al poco tiempo de haber nacido (¡y algunos empiezan antes de que nazca!). Puede que tu bebé quiera que le leas el mismo cuento varias veces, lo cual le ayudará a retener lo que acaba de oír. ¡Intenta que sea divertido para los dos!

- **Sonidos de cuento**

  Haz que leer sea más divertido animándole a participar con efectos de sonido. Emitir sonidos le dará una sensación más vívida del cuento, le enseñará a anticiparse a lo que pasará después y a asociar ciertos sonidos con palabras. Invítale a participar y a hacer sus propios sonidos divertidos.

- **Haz un libro**

  Haced juntos libros sobre acontecimientos cotidianos pegando en un libro blanco fotos de lugares que hayáis visitado y cosas que hayáis visto o hecho.

Aunque tu bebé no entienda el significado tras las palabras que oye, aun así es importante hacerle preguntas. Practica preguntándole cosas que requieran pensar, por ejemplo: «¿Cómo escapará el conejo?» y muestra tu interés cualquiera que sea su respuesta. Alrededor de los dieciocho meses tu bebé será capaz de contestar mejor a tus preguntas y entenderá el significado de las palabras que hayas ido introduciendo.

Habilidades clave: aptitudes lingüísticas, memoria, resolución de problemas e imaginación.

20. Rompecabezas con formas y dibujos   *1-3 años*

Hacia el final del primer año será el momento de introducir algunos rompecabezas sencillos. Pueden ser formas de colores vivos, hechas de madera, para que las pueda meter en un agujero con la misma forma. Al principio prueba con rompecabezas que sólo tengan dos o tres piezas como un círculo, un triángulo y un cuadrado. Los mejores son los que tienen piezas con agarraderas para sujetarlas. Limítate a rompecabezas sencillos hasta que tu hijo se familiarice con ellos. Aprenderá no sólo sobre las formas, sino también cómo experimentar cuando se enfrente a un problema.

* **Rompecabezas**
  Los niños pueden hacer rompecabezas sencillos desde los dos años aproximadamente. Es mejor comprar los rompecabezas de madera, ya que habría que ser un habilidoso carpintero para hacer uno que encaje bien. Los primeros rompecabezas que compres deberían tener unas seis o siete piezas sencillas. Los rompecabezas de dibujos proporcionan buenas oportunidades para hablar con tu hijo sobre las formas y contarle historias sobre lo que muestra el dibujo.

* **Rompecabezas con postales**
  Elabora tus propios rompecabezas sencillos con viejas postales de Navidad u otro tipo de postales con dibujos coloreados. Simplemente, corta el dibujo en diferentes formas y observa si puede hacerlas coincidir. Es mejor si tienes dos postales repetidas, para cortar una y guardar la otra como modelo. Guarda las piezas de cada puzle en un sobre.

Un buen rompecabezas mantendrá a un niño ocupado y en silencio mientras explora las piezas por sí mismo. Los juguetes comerciales, como las cajas con formas y los rompecabezas de madera con mangos en las piezas, son estupendos para practicar la coordinación de las manos y los ojos. Más adelante será capaz de resolver rompecabezas con dibujos más complejos.

Habilidades clave: manipulación, conciencia de las formas, memoria y aptitudes lingüísticas.

21. Búsqueda del tesoro
A partir de 2 años

Pídele a tu hijo que escoja una bolsa o un recipiente de una selección que le ofreces. Haz que lo lleve con vosotros de paseo por el jardín, por el parque o por un espacio cercano. Haz un juego de «buscar el tesoro». Éste podría ser un «tesoro» de cualquier tipo que escoja tu hijo, por ejemplo piedras pequeñas u hojas muertas. Si le parece difícil escoger, sugiérele buscar algo especial como hojas bonitas.

- **Búsqueda del tesoro**
  Podéis jugar a buscar el tesoro en el jardín o dentro de casa. Esconde, por ejemplo, uno de sus juguetes preferidos en algún sitio de una habitación o en el jardín para que lo encuentre. También puedes jugar con dibujos, diciendo por ejemplo: «¿Puedes encontrar un perro en el dibujo?» o «¿Dónde está el osito?». El reto de las «búsquedas del tesoro» en el exterior es que tu hijo tiene que buscar y encontrar un objeto específico. Más tarde hablad sobre lo que haya encontrado cuando estéis de vuelta en casa.

La búsqueda del tesoro es un buen juego para la playa o si vais a caminar por el bosque. Si quieres enséñale también cómo pintar o colorear vuestros tesoros, por ejemplo piedras, una vez lleguéis a casa. Asimismo podéis jugar durante festividades especiales, por ejemplo encontrar el huevo de Pascua o una sorpresa por su cumpleaños. Cuando sea más mayor puedes dejar pistas escritas que tu hijo deberá seguir por toda la casa y el jardín hasta que encuentre el «tesoro oculto».

Habilidades clave: observación cercana, control preciso de los dedos y aptitudes lingüísticas.

22. Simón dice
A partir de 2 años

La coordinación física es una función importante del cerebro. Estos juegos ayudarán a desarrollar la coordinación del cuerpo y de la mente de tu hijo.

- **Las partes del cuerpo**

  Éste es un buen juego de coordinación del cerebro para niños pequeños. Para jugar canta estos versos de manera rítmica:

  Cabeza, hombro, rodilla y pie,
  rodilla y pie.
  Cabeza, hombro, rodilla y pie,
  rodilla y pie.
  Ojos, orejas, boca y nariz.
  Cabeza, hombro, rodilla y pie,
  rodilla y pie.

  Mientras nombras cada parte del cuerpo, tu hijo y tú ponéis la mano
  en la parte mencionada. Prueba varias veces cantando los versos cada vez
  más rápido. Invéntate más versos nombrando diferentes partes del cuerpo, por ejemplo talones y nariz, cuello y pies.

- **Simón dice**

  Éste es uno de los juegos favoritos para niños más mayores, aunque
  algunos pueden aprender a jugar a partir de los dos años. Es útil para
  la coordinación física y para aprender las partes del cuerpo. Se juega
  mejor con parejas o grupos reducidos de niños.

  1. Empieza diciendo: «Simón dice… poned las manos encima de la
     cabeza», y haz una demostración. Los niños deben copiarte.
  2. Repite «Simón dice» e introduce una acción diferente, por ejemplo:
     «Simón dice tocaos las puntas de los pies, la nariz, las orejas, tapaos
     los ojos, etcétera» y los niños deben copiarte para seguir jugando.
  3. Entonces viene la parte difícil. Cuando no dices «Simón dice» y
     simplemente dices «poned las manos en la cabeza» y el niño obede-
     ce, ha perdido el juego y queda eliminado. Así que los niños deben
     mirar y escuchar con atención y coordinar sus acciones contigo.

  Después de jugar unas cuantas veces observa si tu hijo quiere probar a
  ser Simón (o déjale su propio nombre). Ahora tú, o el resto de jugadores,
  debéis seguir lo que diga tu hijo como parte del juego.

Habilidades clave: coordinación física, observación, aptitudes auditivas y lingüísticas.

23. Construye una torre

A partir de 2 años

A los niños les encanta construir torres. Hacer una torre con un grupo de cubos o juguetes apilables puede parecer una tarea sencilla, pero en realidad puede ser un complejo desafío para el artista en ciernes. Utiliza si puedes bloques de madera de calidad, ya que estarán hechos a escala para que los bloques grandes sean proporcionales a otros más pequeños, y los arcos y pilares coincidan en tamaño para que encajen también juntos.

- **Construye una torre**
  Empieza dándole a tu hijo un número pequeño de bloques, sólo tres o cuatro para empezar. Enséñale cómo colocar un bloque encima del otro. Constrúyele una torre y deja que se dé el gusto de derribarla. Pemítele experimentar con unos cuantos bloques pero no esperes que progrese rápidamente. Al cabo de un tiempo, dale unos cuantos bloques más y enséñale cómo hacer una torre más estable con una base de cuatro bloques.

Cuando tenga dos años simplemente amontonará los bloques, pero hacia los tres o cuatro años su construcción se volverá más elaborada y precisa. Mediante la construcción con bloques asimilará muchos principios matemáticos y científicos básicos. Aprenderá el valor de la precisión, los problemas del equilibrio, que algunos bloques son el doble o la mitad de grandes que otros, que las formas redondas ruedan y que las formas cuadradas son estables. No entenderá el área, el volumen y la altura o los principios de la ingeniería, pero le resultará más fácil más adelante si ha tenido experiencias prácticas de construcción con variedad de materiales.

- *Kits de construcción*
  Más adelante le puedes introducir en el mundo de los *kits* de construcción comerciales como Lego que le capacitarán para hacer un apabullante despliegue de modelos.

Si haces o reparas cosas implica a tu hijo en el proceso. A los niños les gusta imitar a los adultos y muchos niños han seguido el modelo de una madre o un padre que ha creado cosas.

Habilidades clave: manipulación, construcción, aptitudes geométricas y espaciales.

24. Juegos de simulación   *A partir de 12 meses*

Un niño pequeño necesita aprender acerca de los sentimientos y las palabras que los describen. Así que habla sobre las emociones de tu hijo y las de los demás, tanto personas reales como imaginarias que leáis en un libro o en los cuentos de tu hijo, por ejemplo: «Tom está contento hoy». «Jane está encantada, ¿verdad?», «Ben está disgustado porque se ha caído».

Es más probable que los niños que no conocen los sentimientos de los demás, o que no saben expresar los suyos con palabras, recurran a medios físicos para mostrar rabia o frustración. Puede que a tu hijo le lleve mucho tiempo entender sus sentimientos. Empieza por hablar sobre ellos y enséñale las palabras que las personas utilizan para describir lo que sienten.

*   **Juegos de simulación**
    Los juguetes son un buen accesorio cuando le cuentes un cuento porque se pueden mover y hacer que hagan los ruidos adecuados. Las muñecas, los ositos y otros peluches también son ideales para los juegos de simulación y para hablar de sentimientos. Mediante los juegos de simulación tu hijo puede representar lo que le asusta, le frustra o le enfada, como la llegada de un nuevo bebé. Pregúntale, por ejemplo: «¿Cómo se siente hoy el osito?» o «El osito se ha hecho daño, vamos a hacer que se sienta mejor», «El osito está bailando. Debe de estar contento» o «El osito está enfadado. ¿Qué le ayudaría a sentirse mejor?».

Los juegos de simulación permiten que tu hijo hable de sus sentimientos proyectándolos en un osito o en un juguete: esto le ayudará a entender qué son los sentimientos y cómo se pueden controlar.

Habilidades clave: desarrolla la imaginación, la empatía (comprensión hacia los demás) y las aptitudes lingüísticas.

25. Cuentos musicales

Mucho antes de desarrollar el habla, los bebés instintivamente se mecen al ritmo de la música, dan palmadas, botan con el ritmo, y «cantan». Muchos estudios han demostrado que la música tiene un efecto positivo en el aprendizaje de los niños, así que intenta crear música en los juegos de tu hijo de manera que la disfrute. La música espontánea puede provenir de los juegos diarios, como cantar «¡arriba y abajo!» al columpiarse. A veces los sonidos a vuestro alrededor se pueden convertir en la base del ritmo y la canción, como un grifo que gotea, sonidos del clima, el ruido de una máquina o de los trenes, así que escucha con atención, sigue el ritmo y empieza a cantar, ¡pronto tu hijo te acompañará!

- **Cuentos musicales**
  Mientras leéis un libro, anima a tu hijo a crear un ritmo para un personaje o acontecimiento en la historia. Introduce historias familiares y repetitivas, como *El hombrecito de mazapán* o *La casa que Jack construyó*. Invita a tu hijo a poner música de fondo tarareando o golpeando un bote, o a tocar una corneta cuando el protagonista entre en escena. Por ejemplo, ¿cuál sería el ritmo del osito más pequeño de *Ricitos de oro*? ¿Cómo se diferenciaría del oso mediano o del oso grande?

- **Canta conmigo**
  En vez de leer un cuento conocido, cántaselo a tu hijo. No importa si no es una gran melodía. Las mejores canciones son las cortas y las que tienen palabras o letra repetitiva y una variedad de notas limitada. Varía la canción invitando a tu hijo a unirse a cantar o con movimientos de manos. Escucha las canciones que tu hijo está creando, o las melodías familiares que tararea, y refléjalas en tu elección de nuevas canciones. Confecciona tu propio cancionero de vuestras canciones favoritas o clásicas como *Con mi dedito* (*véase* siguiente juego).

- **Con mi dedito**

  Pídele a tu hijo que cante y te enseñe las diferentes maneras en las que puede usar su cuerpo para decir que sí y que no: «Con mi dedito digo: sí, sí. Digo, digo: no, no. Y este dedito se escondió». Siguiente estrofa: «Con mi (escoge, o dile a tu hijo que escoja otra parte del cuerpo) digo: sí, sí…etcétera».

Habilidades clave: aptitudes auditivas, lingüísticas y musicales.

26. ¡Vamos a bailar!

El movimiento empieza con las manos, los brazos y las piernas. Después de gatear aprendemos a caminar y después de caminar aprendemos a saltar y a brincar. Cuando tu hijo escucha música ¡es difícil que no empiece a moverse! Moverse al ritmo de la música es como empieza el baile.

Para muchos adultos el concepto de pasos de baile tiene un modo «correcto» de llevarse a cabo, pero el baile empieza con movimientos y gestos sencillos, naturales y espontáneos. Explorando algunos movimientos de baile sencillos con tu hijo le ayudarás a estimular su inteligencia musical y física de forma divertida. Haz del baile una expresión habitual de la alegría de vivir.

- **¿Puedes moverte así?**

  Anima a tu hijo a experimentar moviendo su cuerpo. Dile: «¿Puedes moverte así?». Pregúntale: «¿Puedes moverte de otra forma?». Inventa un baile para tu hijo con tus manos y brazos. Anímale a explorar el modo en que se mueve su cuerpo usando sólo sus manos, brazos, pies u ojos.

- **¡Vamos a bailar!**

  Pon diferentes tipos de música como clásica, pop, folk o country. Dile: «Vamos a ver cómo nos hace sentir esta música». Invita a tu hijo a moverse libremente al ritmo de la música. Prueba a introducir algunos accesorios como pañuelos, globos, abanicos de papel y plumas. Pregúntale: «¿Cómo hace que te quieras mover este objeto?». Si empiezas a bailar probablemente querrá acompañarte.

Habilidades clave: coordinación del cuerpo y de la mente, aptitudes mentales y físicas.

27. Juegos para el baño   *18 meses-3 años*

La hora del baño es una gran oportunidad para hablar con tu hijo y jugar a juegos de inteligencia, por ejemplo enseñar a tu bebé cómo el agua entra y sale de recipientes con diferentes formas y qué juguetes flotan o se hunden.

• **¿Flota o se hunde?**

  Juega a estos juegos en la bañera o colocando un recipiente lleno de agua junto a tu bebé. Necesitarás varios objetos que se hundan y varios que floten. Deberían ser lo suficientemente pequeños como para que tu bebé los coja con facilidad.

  1. Con tu bebé en la bañera (o junto al recipiente lleno de agua) pon uno de los objetos flotantes en el agua y dile: «¡Mira cómo flota!». Deja que tu bebé lo observe un rato.
  2. A continuación pon un objeto que se hunda en el agua y dile: «¡Se hunde!». De nuevo, déjale observar lo que pasa.
  3. Ahora repite con otros objetos, con algunos que floten y otros que se hundan. Después, déjale coger y jugar con objetos él solo.

  A medida que tu bebé se haga mayor, prueba a preguntarle qué objetos se hundirán o flotarán, ¡sus respuestas pueden sorprenderte! Consejo de seguridad: recuerda no dejar nunca a tu bebé solo en el agua o cerca de ella.

• **Juegos para la hora del baño**

  Prueba algunos de estos juegos rápidos mientras estás en el baño:

  1. Envuelve un juguete en un trapo y observa si lo puede desenvolver.
  2. Comprueba si puede coger o atrapar un número de juguetes que flotan en el baño con una cuchara de madera.

3. Sopla con una pajita dentro del agua y comprueba si él puede hacerlo.

4. Juega a llenar y vaciar varios recipientes como cucharas de plástico, vasos de yogur, vasos de plástico, boles y botellas.

5. Escuchad los diferentes sonidos del agua: goteo, burbujas, cómo salpica, etcétera y nombra el sonido.

6. Empapa de agua una esponja y escúrrela en un recipiente para ver cuánta agua retiene.

7. Bañad y lavadle el pelo a una muñeca, hablando de las diferentes partes del cuerpo. Después secadla y acostadla.

Habilidades clave: lenguaje, resolución de problemas y aptitudes matemáticas (forma, volumen y capacidad).

28. Recorrido de obstáculos   *A partir de 8 meses*

Crea un recorrido de obstáculos para tu bebé, pues puede ayudarle a su coordinación de movimientos y confianza mientras aprende a gatear y a caminar. Necesitarás un grupo de objetos como almohadas, cajas, bloques o sillas para crear un recorrido con obstáculos.

Puede empezar simplemente pasando por encima o a través de objetos que encuentre en el camino entre él y tú. La idea inicial es crear un recorrido de objetos sólidos por los que tu bebé no pueda trepar. Usando barreras naturales (paredes, sofás, sillas), crea un recorrido con obstáculos por el que deba navegar. Colócate en el punto de salida, después vete al final y llámale. A medida que avance por el recorrido, recógele y elógiale. ¡Ayúdale mirando a hurtadillas por las esquinas!

Empieza el juego con etapas fáciles, por ejemplo con *A través del túnel.*

• **A través del túnel**
   1. Una vez que empiece a gatear bien haz un pequeño túnel con una caja grande de cartón.
   2. Anímale a gatear a través de la caja hacia ti mientras esperas al otro lado.
   3. Mientras atraviesa la caja di: «¡uuuh!» y elogia su éxito.

- **Recorrido de obstáculos**

  Es un recorrido durante el cual tu bebé tiene que aprender a trepar o rodear varios objetos para llegar a ti. Esto también le ayudará a desarrollar su noción de la altura y el equilibrio. ¡Empieza con algo fácil para que no sea demasiado desafiante!

  1. Puedes crear una línea de recorrido colocando almohadas y cojines de varias alturas entre dos barreras sólidas, como un sofá y la pared, o cajas en línea recta.
  2. Colócate en un extremo, siéntate en el opuesto y llámale. Anímale a pasar por encima de cada obstáculo blando. Alternativamente, puedes crear una barrera de almohadas o cojines a su alrededor para que tenga que trepar y pasar por encima para alcanzarte.

  Una vez que tu bebé empiece a caminar, puedes crear recorridos similares que le animen a observar por dónde camina sin tropezar. Esto se puede hacer colocando cubos y cajas de un tamaño medio en el suelo para que camine alrededor de ellas. Se pueden hacer recorridos de obstáculos similares al aire libre para desafiar su habilidad física y de resolución de problemas.

  Habilidades clave: física, resolución de problemas, aptitudes visuales y memoria.

29. Sonidos ocultos   *2-3 años*

Este juego es como el escondite con música. Necesitarás un juguete musical (electrónico o de cuerda) con el que tu bebé esté familiarizado y lo suficientemente pequeño como para esconderlo.

- **Sonidos ocultos**
  1. Enciende el juguete musical y escóndelo bajo una sábana o una manta de forma que sea bastante fácil que tu bebé lo oiga y lo localice.
  2. Pregúntale: «¿Oyes eso? ¿De dónde viene la música?». Puede que tengas que ayudarle o gatear con él para encontrarlo.

3. Elógiale cuando destape el juguete diciendo: «¡Lo has encontrado, muy bien!». A medida que vaya mejorando para encontrar el juguete musical puedes esconderlo en lugares más difíciles de encontrar como debajo de unos almohadones, detrás de un mueble o bajo la cama.

- **Encuentra el reloj**
  En vez de un juguete musical puedes esconder un reloj que emita un tictac o un teléfono móvil. Dile a tu hijo que escuche cuidadosamente. Dale pistas en cuanto empiece su búsqueda, por ejemplo: «¡Caliente, caliente!» o «¡Frío, frío!» o «¡Muy, muy caliente!» cuando se vaya acercando a él.

A medida que tu bebé crezca, ¡puede que incluso quiera intentar esconder el juguete él mismo! Si es así, no encuentres el juguete con demasiada facilidad y cuando finalmente lo destapes, ¡intenta parecer sorprendida!

Habilidades clave: auditivas, memoria y resolución de problemas.

30. Las torres del poder   *18 meses-3 años*

Para un niño más grande no hay nada más sencillo que poner una cosa encima de otra pero para un bebé es un verdadero desafío, y ¡averiguar que las cosas se pueden caer puede ser a cualquier edad un poco sorprendente! A medida que tu hijo adquiera más control agarrando y sujetando cosas, preséntale una variedad de juegos apilables como cubos de plástico o conos que encajen unos dentro de otros.

Si es demasiado difícil al principio, empieza con dos piezas. Observa si las puede colocar juntas y separarlas. Recuerda que cada pieza de un juego apilable debería ser lo suficientemente grande para que la sujete pero no demasiado pequeña como para que se la pueda tragar.

- **Haz una pila**
  1. Dale a tu hijo algunos juguetes apilables, enséñale cómo encajan y se apilan y dile qué estás haciendo.

2. Anímale a jugar con los juguetes apilables poniendo dos o tres piezas juntas.

3. Háblale mientras juega, cuenta los juguetes apilados y habla con él del color y el tamaño de cada pieza. Proponle un reto de vez en cuando como: «Vamos a ver cuántos podemos poner juntos...».

Intentar construir cosas es bueno para la coordinación de las manos y de los ojos. Ver cuándo y por qué se caen es una temprana lección en la lógica de la causa y el efecto que, además, le da una sensación de elección y poder.

- **La torre del poder**
  Para esto necesitarás algunos bloques de construcción o juguetes apilables, o prueba a apilar cosas y construir torres con otros objetos que tengas a mano como, por ejemplo, piedras si estáis en la playa. También podéis apilar cosas en un carrito de juguete o usar paquetes de comida de la cocina.

  1. Enséñale a tu bebé cómo hacer una torre con bloques de construcción u otros objetos apilables.
  2. Dile que la vas a derribar y tírala al suelo lentamente.
  3. Ayúdale a construir una torre y después enséñale que tiene el poder de derribarla.

Contad el número de bloques, hablad sobre su tamaño y ¡describid cómo se cae!

Habilidades clave: aptitudes físicas, planificación, resolución de problemas, causa y efecto, lenguaje y aptitudes numéricas.

2

Juegos de inteligencia para niños pequeños (3-6 años)

El cerebro funciona mejor cuando el cuerpo está sano y en forma. Un niño pequeño necesita una dieta rica en experiencia física para ayudar a promover el crecimiento de las ramas de las miles de millones de células cerebrales que forman su cerebro. Crear una variedad de actividades para tu hijo (bailar, balancearse, gatear, girar, mantener el equilibrio, trepar, estirarse, saltar, atrapar cosas y demás) no sólo será una gimnasia para el cuerpo sino también para el cerebro. Es necesario hacer ejercicio y pensar cada día.

Recuerda que el cerebro en crecimiento de un niño necesita seis cosas para funcionar bien: provisiones de buena comida, bebida, oxígeno (aire fresco), ejercicio físico, descanso y estímulos. Necesitan tanto actividad física (como verás en *Gimnasia cerebral* y *Equilibrismos* más adelante) como estímulos mentales (gimnasia para la mente), que los siguientes juegos de inteligencia proporcionan. A los niños les encanta la rutina, jugar a juegos que disfrutan una y otra vez, pero también disfrutarán jugando a algo nuevo. Aprender a pensar requiere mucha práctica y variedad, dentro de una rutina que les haga sentirse seguros. Recuerda que no hay un modo correcto de jugar a un juego, así que puedes variar los juegos adaptándolos y jugando de maneras distintas. Lo importante es que le des a tu hijo el estímulo mental que necesita para que su inteligencia se desarrolle por completo.

En la etapa que va entre uno y dos años y medio, los niños tienden a estar llenos de entusiasmo por nuevas actividades, y su creciente capacidad para concentrarse y seguir instrucciones complejas facilita que jugar o hacer cosas con ellos sea una gozada. Aprender jugando con cada una de las actividades aquí incluidas no sólo desarrolla su pensamiento y sus aptitudes físicas, sino que también os dan la oportunidad de pasarlo muy bien juntos.

A partir de los tres años aproximadamente el desarrollo del cerebro de un niño se encuentra en un punto en el que puede empezar a crear sus propias historias personales con principio y fin, utilizando una creciente variedad de palabras. No tengas miedo de usar palabras largas con niños, ya que probablemente disfrutarán de su sonido extraño y querrán entrar en el mundo adulto de las palabras largas de vez en cuando. Prueba a utilizar adjetivos interesantes y descriptivos cuando cuentes un cuento, por ejemplo: «La arrugada anciana temblaba como una hoja mientras el sonido sordo de unos pasos se acercaba cada vez más...».

Tu hijo pequeño necesitará jugar con otros niños, tal vez en la guardería o en un grupo de juego, además de proporcionarle una rica variedad de juegos en casa. Jugar regularmente con otros niños y adultos también le ayudará a potenciar su pensamiento y habilidades lingüísticas. Una variedad de juegos proporcionará a tu hijo pequeño el estímulo mental que necesita para que su inteligencia se desarrolle por completo (juegos 31-60).

Figura 3.

Juegos mentales para niños pequeños de 3-6 años

31. Gimnasia cerebral
32. Equilibrismos
33. Juegos de preguntas
34. ¡Escucha!
35. Parejas
36. ¿De cuántas maneras?
37. ¿Quién se esconde ahí?
38. ¿Qué es?
39. Juegos con letras
40. Veo, veo
41. Juegos con rimas
42. Tarros musicales
43. Estatuas
44. En mi maleta…
45. Juegos con nombres
46. Juegos de puntería
47. Contar cuentos
48. Hacer mezclas
49. ¿Qué falta?
50. ¡Burro!
51. Parejas
52. Juegos para dibujar
53. Juegos de deducción
54. Juegos con números
55. ¿Te acuerdas?
56. ¡Qué tonto soy!
57. Juegos de tres en raya
58. Juegos con dados
59. Juegos para cazar
60. Acertijos

31. Gimnasia cerebral   *A partir de 2 años*

Gimnasia cerebral puede ser cualquier juego que presente un desafío físico, requiera pensar y sea divertido, por ejemplo jugar con balones, correr alrededor de obstáculos, trepar, aprender a bailar o una canción para saltar a la comba, jugar a la rayuela, caminar hacia atrás, dar volteretas, ¡o ponerse cabeza abajo! La gimnasia cerebral incluye cualquier juego que necesite un esfuerzo físico y mental, como los siguientes:

* **Juegos con pelotas**
  Empieza jugando con una pelota de playa grande. Después prueba a jugar con pelotas más pequeñas, pelotas de goma, de tenis, de hilo, de ping-pong y demás. Juega a versiones sencillas de juegos como el tenis de mesa (golpeando la pelota uno al otro), el fútbol (chutando la pelota en una portería), el *cricket* (lanzando la pelota a un objetivo o golpeándola con un bate), el baloncesto (lanzando una pelota dentro de una cesta o una papelera) o los bolos (haciéndola rodar para derribarlos).

* **Juegos de atrapar**
  Atrapar algo es un desafío importante para un niño pequeño. Empieza con una pelota blanda. Dile que mire la pelota, que se prepare para atraparla y después atrápala. Anímale en sus intentos diciéndole, por ejemplo: «Has estado muy cerca», «Pon las manos así» o «Sigue mirando la pelota». ¡Recuerda que es una habilidad en la que muchos mayores fallan!

* **Juegos con bolsas de alubias**
  Lanzar objetos extraños como bolsas de alubias puede resultar divertido a partir de los tres años. Haz unas cuantas bolsas vaciando dentro un vaso de alubias, ciérrala, ponla dentro de un calcetín viejo, ciérralo y cose los extremos. Juega a lanzar las bolsas dentro de un bol grande, a un objetivo o a un círculo dibujado en el suelo. Observa si puede caminar con una bolsa de alubias en la cabeza sin que se le caiga (*véase Equilibrismos* más adelante).

- **Juegos de saltar**

  Jugad a «saltar el arroyo» marcando dos líneas paralelas para representar el arroyo que hay que saltar. Cuando lo consiga aumenta la anchura para crear un reto mayor. Mide y dile lo lejos que ha saltado.

  Jugad juntos a juegos de acción, por ejemplo diciendo: «Vamos a ver cuántos saltos/giros puedes hacer». Hablad de las formas que adquiere el cuerpo, de las diferentes partes del cuerpo y los músculos que utilizáis, contad el número de veces que se puede hacer una cosa o medid el tiempo que le lleva (*véase también **Simón dice** página 43*).

  Habilidades clave: coordinación física, aptitudes científicas, matemáticas y lingüísticas.

32. Equilibrismos   *A partir de 4 años*

Los expertos dicen que las actividades físicas complejas que implican el empleo de todo el cuerpo como gatear, nadar o mantener el equilibrio ayudan a fortalecer los caminos que unen los dos lados del cerebro y mejoran el funcionamiento del mismo. Lleva a tu hijo a nadar y prueba algunos juegos de equilibrio.

- **Juegos de equilibrio**

  Anima a tu hijo a intentar mantener algo en equilibrio sobre su cabeza por ejemplo un libro, un pañuelo, una pluma o una baraja de cartas y después moverse de una parte de la casa o del jardín a otra. Rétale, a él y a otros niños, a intentar caminar a lo largo de una línea recta («caminar por la cuerda floja») manteniendo algo en equilibrio sobre la cabeza. Haced una carrera con una bolsa de alubias cada uno en la cabeza. La práctica ayudará tanto a la postura (de pie, caminando con el cuerpo recto) como al control de los músculos y el sentido del equilibrio.

  Varía el juego invitándole a tumbarse boca arriba con los pies en el aire y manteniendo el equilibrio de diferentes objetos en las plantas de los pies. Cuando estéis fuera haz que intente mantener en equilibrio objetos largos y delgados como escobas o bates en las manos. Recuerda asegurarte de que lo que intente sea seguro.

- **Girar como un helicóptero**
  Dile a tu hijo que se coloque de pie con los brazos extendidos y que gire sobre sí mismo tan rápido como pueda durante quince segundos. Dile: «Para, cierra los ojos, mantén el equilibrio y quédate de pie». Haz que se quede quieto durante treinta segundos hasta que ya no esté mareado. Prueba esto hasta diez veces, sólo en una dirección. Ayúdale sujetándole la mano para girar si es necesario.

Los niños más mayores pueden probar a hacer malabarismos con dos bolas o bolsas de alubias, otra habilidad física compleja pero estupenda para estimular ambos lados del cerebro.

Habilidades clave: coordinación física, autocontrol, equilibrio y aptitudes lingüísticas.

33. Juegos de preguntas   *A partir de 3 años*

Los niños pequeños se plantean muchas preguntas que tal vez no siempre tengas tiempo de contestar, pero si lo tienes, motiva la curiosidad natural de tu hijo por el mundo haciéndole preguntas e invitándole a pensar por sí mismo.

- **¿Qué te parece?**
  Las preguntas que le puedes hacer a tu hijo cuando está aprendiendo a hablar son nombrar cosas como: «¿Qué es esto? », «¿Quién es éste?», «¿Dónde está?». A partir de los tres años aproximadamente empieza a preguntarle « ¿por qué?». Haciéndole este tipo de preguntas le estás enseñando a no aceptar todo simplemente, sino a averiguar cómo funcionan las cosas y por qué las personas hacen cosas. Si te pregunta algo no le des siempre una respuesta, juega con él diciéndole: «¿A ti que te parece?» y anímale a intentar averiguar las cosas por sí mismo.

- **¿Qué estoy pensando?**

  Piensa en algo que tú y tu hijo conozcáis, por ejemplo vuestra mascota, vuestro coche o el reloj que tenéis en la pared. Empieza diciendo: «Estoy pensando en algo. Intenta adivinar en qué estoy pensando haciéndome preguntas. Si puedes averiguar o acertar lo que es, ganas». Si a tu hijo le parece difícil, ayúdale dándole pistas como: «Es algo que está en la habitación» o «¿Qué pregunta me harías para averiguar si es una persona?».

  Cuando haga una pregunta interesante elógiale diciendo: «Ésa es una buena pregunta», ¡incluso si no tiene nada que ver con el tema que tenéis entre manos! De vez en cuando juega a juegos de preguntas devolviéndole una: «¿A ti que te parece?».

  Habilidades clave: formulación de preguntas, lenguaje y razonamiento sobre la causa y el efecto.

34. ¡Escucha!   *A partir de 3 años*

Los niños necesitan aprender cómo escuchar con atención y concentrarse en las cosas. Ayuda a tu hijo a desarrollar sus aptitudes auditivas y la concentración jugando a juegos de escuchar en casa o cuando salgáis a pasear.

- **Encuentra el reloj**

  (*véase* página 52).

- **Encuentra el dedal**

  Jugad utilizando un dedal o cualquier otro objeto pequeño. Susúrrale indicaciones a tu hijo, como: «Sal al jardín. Camina tres pasos a la izquierda. Tres pasos hacia delante. Caliente, caliente… etcétera». Prueba a darle la vuelta al juego para que tu hijo esconda el objeto y te dé instrucciones para la búsqueda.

- **Juegos con los ojos vendados**

  Siéntale en una silla con los ojos cerrados o vendados. Muévete y haz un sonido, diciendo la inicial de su nombre suavemente. Tiene que señalar

hacia el lugar de donde proviene el sonido. Haz que identifique los sonidos que hagas como cerrar una puerta, arrugar un periódico o correr
las cortinas (para más juegos con los ojos vendados *véase* página 169).

- **Encuentra el sonido**
Jugad a *¿Qué es ese ruido?* cuando salgáis a pasear juntos. Observa si
puede oír el viento mover las hojas, el canto de un pájaro o el ruido
lejano de un motor. Haz que cierre los ojos para concentrarse. Cuando lleguéis a casa comprueba cuántos de los sonidos puede recordar.

Prueba a susurrar muy flojito en su oído, ¿puede aún oír lo que le dices?

Habilidades clave: formulación de preguntas, razonamiento, aptitudes visuales y de memoria.

35. Parejas   *2-5 años*

Los niños adoran los juegos de hacer parejas y clasificar. Estos juegos enseñan que varias cosas del mismo tipo pueden tener formas, tamaños y
colores distintos.

- **Emparejar**
El juego más sencillo es decirle a tu hijo que encuentre y combine
dos objetos similares de entre un grupo de objetos como animales
de juguete, bloques, colores, formas. Otras cosas que puede clasificar
por parejas pueden ser calcetines o zapatos. Coloca un montón de
calcetines desparejados en una bolsa y cada dos semanas ¡divertíos
emparejándolos!

- **Encuentra las parejas**
Los juegos de cartas van muy bien para emparejar y clasificar desde
los tres años aproximadamente. Empieza con *Encuentra las parejas.*
Clasifica cinco parejas de cartas (diferentes números del mismo palo
de dos barajas). Pídele que encuentre y junte las parejas de las cinco
cartas restantes. No hace falta que cuente el número de símbolos en

las cartas, sino que puede emparejarlas visualmente. Más adelante aprenderá a contar los números y jugará a *Parejas* con una baraja de cartas (*véase* página 80).

- **Burro con cartas de dibujos**
  Es un juego de cartas apropiado para empezar. Es mejor jugar con dos pilas de cartas separadas. Se pueden comprar diferentes tipos de cartas con dibujos para jugar al burro y después pasar a utilizar cartas de juego (*véase* página 79).

Habilidades clave: formulación de preguntas, pensar detenidamente las cosas, razonamiento sobre la causa y el efecto.

36. ¿De cuántas maneras? *4 años-adulto*

Estaba leyéndole a mis hijos el cuento de Winnie Pooh, que empieza así: «Aquí está Edward Bear, bajando las escaleras, pum, pum, pum, apoyándose en la nuca, detrás de Christopher Robin. Es, por lo que entiende, la única forma de bajar las escaleras, pero a veces siente que en realidad tiene que haber otro modo. Si pudiera parar de dar botes por un momento y pensar en ello. Entonces siente que tal vez no haya otra manera…». Les pregunté si podían ayudar a Edward Bear (alias Pooh) a pensar en otras formas de bajar las escaleras.

Las ideas empezaron a fluir pronto: «Podría pedirle a alguien que lo lleve en brazos». «¿Por qué querrían hacer eso?». «Bueno, les podría decir: "Si me lleváis a la planta de abajo os contaré un chiste divertido"».

«Podría deslizarse por la barandilla, extendiendo los brazos así para mantener el equilibrio», «Podría hacerse un paracaídas con una sábana y tirarse», «Podría sentarse en una bandeja como si fuera un trineo, y si tuviera el ángulo correcto deslizarse hacia abajo», «Podrían poner una silla como si fuera un ascensor a un lado de la escalera. Podría sentarse y alguien le podría arrastrar hacia arriba o hacia abajo», «Podrían construir una trampilla y podría bajar por una cuerda», «Si hiciera eso, ¿no podría aterrizar en la cabeza de alguien?», «No si la cuerda tuviera atada una campana y así cada vez que la usara la campana sonaría».

Cuando habíamos terminado de pensar ideas les pregunté cuántas maneras diferentes había de bajar las escaleras y me contestaron: «Nadie lo sabe, porque a alguien siempre se le puede ocurrir otra idea». Sea lo que sea lo que estemos haciendo puede que haya otras maneras de hacerlo. Diviértete explorando estas formas con tu hijo.

- **¿De cuántas maneras?**

  Desafía a tu hijo a pensar tantas maneras de hacer una acción como sea posible, por ejemplo: «¿Cuántas formas se te ocurren de cruzar la calle?». Los libros de cuentos nos pueden proporcionar buenos puntos de partida para este juego. Prueba a preguntarle: «¿De qué otras maneras podría el personaje hacer esto?». Haz de ello un juego turnándoos para pensar maneras diferentes y parad cuando sólo quede una persona dando ideas, o cuando todo el mundo se aburra.

- **¿Cuántas utilidades?**

  Coge un objeto cotidiano, como un plato de plástico, y pregunta: «¿Para qué se podría utilizar esto?». (Por ejemplo: una gorra, un platillo volante, una máscara dibujada y pegada a un palo, la tapa de algo, etcétera). Elogia a tu hijo por cualquier sugerencia interesante o fantasiosa que haga. ¿Cuántas utilidades le puedes dar a una caja, a una toalla, a un clavo, a un bloque, a una hoja de papel, a un vaso de plástico o a un calcetín viejo?

Habilidades clave: desarrolla las aptitudes lingüísticas, la creatividad y la imaginación.

37. ¿Quién se esconde ahí? *3-5 años*

Un buen juego de memoria para tu hijo es *¿Quién se esconde ahí?* Juega con cualquier tipo de cartas con dibujos o haz las tuyas propias usando sus animales o personajes favoritos. Dibújalos, o recórtalos de comics o revistas, y pégalos en cartulina. Escribe el nombre del dibujo en cada carta.

- **¿Quién se esconde ahí?**
  1. Coloca todas las cartas para que tu hijo las vea.
  2. Lentamente pon cada dibujo boca abajo.
  3. Señala una carta y pregúntale: «¿Quién se esconde ahí?» y espera a que adivine el dibujo que hay en la carta boca abajo.
  4. Añade emoción al juego aumentando el número de cartas y después cambiándolas de posición, al principio despacio y de una en una.
  5. Más adelante prueba a mover las cartas más rápidamente, y después a moverlas de dos en dos, usando ambas manos, para hacer el juego aún más emocionante.

Al principio confiará en su memoria, pero si usas cartas con dibujos y nombres también intentará recordarlas reconociendo los nombres de las palabras. Deja que juegue poniéndote a prueba. Recuerda elogiarle cuando identifique los dibujos ocultos correctamente.

Habilidades clave: desarrolla la memoria, aptitudes lingüísticas y reconocimiento de las palabras.

38 ¿Qué es?   *3-6 años*

Los juegos de adivinanzas son buenos para tu hijo si le hacen pensar, resolver cosas y predecir cuál puede ser la respuesta correcta. Este juego consiste en un dibujo misterioso del que sólo enseñas una parte y él tiene que adivinar qué es.

- **¿Qué es?**
  Busca en revistas fotos de cosas que tu hijo conozca, recórtalas y pégalas en una hoja de papel. Esconde cada foto en un sobre.
  1. Juega tirando de la primera foto hacia fuera del sobre, lo suficiente como para que el niño vea la parte de debajo de la foto, y pregunta: «¿Qué es?».
  2. Dale pistas. Por ejemplo: «¿Qué ves? ¿Dos ruedas? ¿Qué puede ser? ¿Un perro?».

3. Tira un poco más de la foto para darle más pistas.
4. Continúa el juego hasta que adivine lo que es.

También puedes jugar a este juego con libros de dibujos, tapando la mayor parte con un papel y pidiéndole a tu hijo que adivine el dibujo.

Habilidades clave: desarrolla las aptitudes perceptivas, predictivas y lingüísticas.

39. Juegos con letras   *A partir de 2 años*

Diviértete introduciendo a tu hijo en las letras mediante juegos con letras como los siguientes:

* **Trazar en el aire**
  Traza letras en el aire con tu dedo, por ejemplo el nombre de tu hijo: «Vamos a hacer una "D" grande, de Daniel, y yo sujetaré tu mano mientras lo hacemos».

* **Galletas del alfabeto**
  Haced juntos galletas con forma de letras. Usa cualquier receta de galletas de un libro de cocina. Haced un montón de galletas pequeñas y usadlas para deletrear el nombre de tu hijo, o utilizad la masa para hacer las letras de su nombre.

* **Cartas del alfabeto**
  Haz un juego con las cartas del alfabeto, por ejemplo escogiendo una carta de un montón y pensando una palabra que empiece por esa letra.

* **Canción del abecedario**
  Enséñale a tu hijo una canción del abecedario, varía el modo en que la cantas (alto, bajo, suavemente, rápido o despacio) para cada letra.

- **Bingo con el abecedario**

  Haz cartones de bingo de cartulina o con postales en blanco. Divide el cartón en seis cuadrados e imprime seis letras diferentes en cada cartón. Corta la cartulina en cuadrados de cinco centímetros y escribe una letra en cada cuadrado. Juega al bingo como siempre:
  1. Saca una letra de una bolsa o caja y di, por ejemplo: «"B" de botella».
  2. Si tu hijo tiene una «b» en su cartón, la tachará con un rotulador.
  3. El primero en tachar las seis letras de su cartón es el ganador. Juega de dos maneras: primero con minúsculas y un juego nuevo con mayúsculas. Los niños más mayores pueden dirigir el juego y decir una palabra o inventarse una frase graciosa para cada letra.

- **Letras misteriosas**

  Pega una hoja de papel de lija en una cartulina. Úsalo para recortar las letras del abecedario. Tapa una letra con un trapo y observa si tu hijo puede identificar qué letra es a través del tacto.

Traza letras en el dorso de su mano con el dedo, ¿puede adivinar qué letra es? Traza letras en el aire con él. Cuando estéis en el supermercado comprueba cuántas cosas que empiecen con diferentes letras del abecedario puede nombrar tu hijo.

Habilidades clave: desarrolla la memoria, reconocimiento de las letras y aptitudes lingüísticas.

40. Veo, veo   *A partir de 3 años*

Una vez que tu hijo conozca las letras y sus sonidos puede jugar al fantástico juego del *Veo, veo* y a algunas de sus variantes más sencillas o complejas, por ejemplo:

- **Veo, veo**

  Escoge algo que tu hijo pueda ver, por ejemplo una pelota, y di: «Veo, veo una cosita que empieza por la letra… "P"» y comprueba si tu hijo puede adivinar qué es.

- **Veo, veo una letra.** Dile que meta en una bolsa o caja cualquier objeto que empiece por una letra en concreto.

- **Veo, veo un material.** Di: «Veo, veo una cosita hecha de… (un material, por ejemplo: madera, plástico o metal)».

- **Veo, veo una forma.** «Veo, veo una cosita con forma (por ejemplo: redonda, ovalada o cuadrada)».

- **Veo, veo una acción.** «Veo, veo una cosita que… (por ejemplo: se come, se bebe, se lleva puesto, se usa como herramienta, etcétera)».

- **Veo, veo con rima.** «Veo, veo una cosita que rima con…».

- **Veo, veo en un libro de dibujos.** Enséñale un dibujo interesante de un libro y di: «Veo, veo una cosita… (y dale una pista, como "algo redondo")».

- **Veo, veo en el coche.** Cuando viajéis en coche di: «Vamos a ver quién ve primero una cosa que empiece con la letra…». (Para más juegos de coche *véase* página 181).

Con niños más mayores pasa a sonidos con dos letras: «Veo, veo una cosita que empieza por… ch, dr, cl, br, etcétera». Más adelante juega usando terminaciones como «-ado, -dero, -ía , -or».

Habilidades clave: desarrolla la memoria y el lenguaje.

41. Juegos con rimas   *3-6 años*

Los juegos con rimas son excelentes para desarrollar el lenguaje y las aptitudes fónicas además de ayudar a tu hijo a desarrollar su vocabulario. Leer un libro de canciones infantiles se puede convertir en un juego, simplemente invitando a tu hijo a añadir la palabra que rima al final de cada verso.

- **Sonidos que riman**

  Empieza con un sonido como «du». Tu hijo debe hacer un sonido que rime, como «mu». Jugad por turnos y comprueba cuántos sonidos que rimen podéis hacer. Empieza con sonidos simples como «yo», «en» o «tres». «Tres» por ejemplo rima con «mes, pies, después, revés, pues, marqués, Andrés, traspiés » etcétera.

- **Acertijos con rima**

  Di un nombre y tu hijo debe encontrar una rima que tenga sentido, por ejemplo: «Un papá... (en el sofá)», «Una mascota... (que trota)», «Una abeja... (en mi oreja)», «Un pez... (más pequeño que una nuez)», «Un gato... (que tiene flato)» y demás.

- **Colores que riman**

  Piensa en un color y un objeto que rime con él, por ejemplo: «un (abedul) azul», «un (ojo) rojo», «un (suegro) negro», «un (grano de anís) gris», etcétera.

- **Haz una rima**

  A medida que tu hijo se haga mayor podréis crear algunos versos juntos: el adulto dice la primera línea y el niño responde añadiendo una línea que rime como en este ejemplo: «Uno, dos... el pájaro voló». «Tres, cuatro... cuando vio al gato». «Cinco, seis... ya no lo veis». «Siete, ocho... se posa en un tocho». «Nueve, diez... ha vuelto otra vez». Se puede jugar en cualquier momento para añadir interés a cualquier frase o dicho corto.

Desafía a tu hijo a encontrar una rima para cualquier palabra que digas o veas. *Véase también **Tenis con rimas** (página 107).*

Habilidades clave: desarrolla la memoria y el lenguaje (letras, reconocimiento de sonidos y aptitudes fonéticas).

42. Tarros musicales

Los niños pequeños disfrutan con el sonido que puede hacer una cuchara al golpear una jarra de agua, más incluso si tienes muchas jarras que hagan sonidos distintos. Ayuda a desarrollar sus aptitudes auditivas y musicales jugando con tarros musicales.

• **Tarros musicales**
  1. Busca diez o doce botellas o tarros de cristal idénticos, un grupo de diferentes «baquetas» como cucharas de madera y de metal, y una jarra de agua.
  2. Con tu hijo experimenta llenando los tarros con diferentes cantidades de agua y viendo qué sonido hacen cuando los golpeáis con diferentes «baquetas».
  3. Anima a tu hijo a escuchar con atención las sutiles diferencias en el tono al golpear tarros con distintos niveles de agua y a hacer su propia «música acuática».
  4. Echa gotas de diferentes colorantes de alimentos en el agua de cada tarro para añadir el placer de tocar vuestros tarros musicales y reconocer diferentes notas.

Habilidades clave: desarrollo del criterio musical y aptitudes auditivas.

43. Estatuas

Muchos juegos ayudan a desarrollar el control físico y la coordinación del cuerpo y de la mente, como los siguientes:

• **Estatuas**
  Este juego es un buen modo de tranquilizar a un grupo de niños revoltosos.
  1. Empiezan moviéndose, caminando o bailando por la habitación.
  2. Cuando digas una palabra, como «¡stop!» deben permanecer absolutamente quietos en la posición en la que estén en ese momento.

3. Sólo pueden moverse cuando digas una palabra como «¡Adelante!». Si se mueven después de que digas «stop» están eliminados y tienen que sentarse.
4. Continúa hasta que sólo queden uno o dos niños.

Quedarse inmóvil de repente requiere autocontrol y una respuesta rápida. Quedarse quieto es un gran reto físico para la mayoría de los niños, así que elogia a los que lo consigan.

- **Corre que te pillo**
  Una popular y enérgica variante del juego de las estatuas.
  1. Un niño pilla y debe intentar pillar y tocar a cada uno de los otros niños.
  2. Cada niño al que toque debe quedarse inmóvil como una estatua hasta que otro niño le toque y le devuelva a la vida.
  3. Cambia el niño que pilla a menudo e intenta asegurarte de que todos lo hacen.

- **Pirata dormilón**
  1. Haz que eres un pirata dormilón sentado de espaldas a tu hijo, o grupo de niños, guardando un «tesoro» (que podría ser un caramelo).
  2. Empezando desde el otro lado de la habitación cada niño camina de puntillas hacia delante, intentando acercarse más al tesoro.
  3. Si oyes un ruido te vuelves rápidamente y abres los ojos.
  4. Si un niño está quieto como una estatua se vuelve invisible, espera a que te vuelvas otra vez para «dormir» y después continúa. Si ves que un niño se mueve debe volver al principio.
  5. El niño que te alcance sin ser visto moviéndose gana el juego (o el tesoro). Los niños pueden entonces turnarse para ser el pirata dormilón.

Habilidades clave: control muscular, coordinación física, autoconciencia, cooperación con los demás.

44. En mi maleta...   *4-6+ años*

Este popular juego familiar tiene muchas variantes.

- **Maleta**
  1. Cada persona dice por turnos: «En mi maleta he metido un/a...» y nombra un objeto, como «toalla».
  2. La siguiente persona tiene que decir: «En mi maleta he metido una toalla y un/a...» (y nombra otro objeto).
  3. Cada jugador tiene que recordar y decir la lista completa de cosas antes de añadir otra. El jugador que no recuerde la lista queda eliminado.

  NOTA: si queréis podéis escoger objetos de fantasía o surrealistas, como la Torre Eiffel.

- **Maleta de letras**
  En esta versión cada objeto que metáis en la maleta debe empezar con la misma letra del abecedario, por ejemplo la letra «b»: «bizcocho» «banana», «babuino», etcétera.

- **Maleta alfabética**
  En este juego cada objeto que metáis en la maleta debe empezar con la siguiente letra del alfabeto, por ejemplo: «anillo», «bola», «corona», etcétera.

- **El gato de mi abuela**
  Éste es un juego de adjetivos (describir palabras).
  1. El primer jugador dice: «El gato de mi abuela es un gato... feliz».
  2. Los demás tienen que escoger otros adjetivos como «horrible», «glotón», «travieso».
  3. El juego sencillo es que cada jugador diga un adjetivo, pero en la versión más difícil cada jugador debe recordar la lista de adjetivos que los demás han usado, por ejemplo: «peludo, divertido, fantástico».
  4. Intentad usar dos palabras que empiecen por la misma letra, por ejemplo: «Al gato de mi abuela le encantan las salchichas sabrosas».

Cuando juguéis con adjetivos que empiecen con «c», si alguien dice «chalado» y no estáis seguros si empieza por «ch», votad entre todos si la palabra se debería admitir.

Si dudáis de alguna palabra o norma, haced una votación.

Estos juegos son estupendos para jugar en el coche o para una fiesta. Crea tu propia variante, por ejemplo: «Fui al supermercado y compré...» o turnaos para sugerir nuevas formas de comenzar.

Habilidades clave: memoria, vocabulario y aptitudes lingüísticas.

45. Juegos con nombres   *4-6+ años*

Los juegos con nombres, como *Categorías*, se pueden jugar en cualquier sitio para proporcionar diversión y estimular el pensamiento. Pensar en categorías es una de las aptitudes más importantes del pensamiento.

* **¿Cuántos puedes nombrar?**
  Simplemente escoge una categoría y reta a los jugadores a nombrar tantas cosas como puedan que entren en esa categoría, por ejemplo: animales del zoo, tipos de ropa, cosas para beber, objetos con ruedas, cosas que flotan, cosas que vuelan, muebles, frutas, utensilios de la cocina, instrumentos musicales, países, deportes, etcétera.

* **Nombres alfabéticos**
  Cada persona debe decir una palabra que encaje en una categoría predefinida, por ejemplo nombres de chico, nombres de chica o cosas en un supermercado, usando la siguiente letra del alfabeto. Si las letras son muy difíciles, como la «x» o la «z», las podéis descartar.

* **¿Cuántas palabras?**
  Turnaos para pensar palabras que describan, por ejemplo:
  Una persona (contenta, alta, pequeña, fea, famosa, triste, enfadada, asustada, sorprendida, dormida, etc.);
  un edificio (viejo, moderno, feo, de ladrillo, de madera, alto, en ruinas, castillo, rascacielos, etc.);

comida (salada, sabrosa, dulce, picante, congelada, empalagosa, cremosa, cocida, hervida, asada, etc.);

música (alta, suave, bonita, lenta, pop, clásica, folk, hip-hop, etc.);

maneras de moverse un animal (saltar, corretear, deslizarse, reptar, brincar, correr, caminar, etc.).

Los niños más mayores pueden pensar en categorías más difíciles como metales, clima, animales de sangre fría o cosas que sean duras, blandas, suaves o pegajosas. Piensa en palabras que describan un día de verano, de invierno, una noche oscura, cuando te pilla la lluvia, fuegos artificiales, una fiesta de cumpleaños, etcétera.

Habilidades clave: memoria, vocabulario y aptitudes lingüísticas.

46. Juegos de puntería   *3-6+ años*

Para este juego necesitarás una buena provisión de botones, cuentas, monedas, bellotas u otros objetos pequeños (entre cinco y veinte) y una caja, cesta o papelera para lanzarlos dentro. También necesitarás una regla o una línea en el suelo que no podréis traspasar. El objetivo es mejorar la puntería de tu hijo y contar llevando la puntuación.

*   **Juego de puntería**
    1. Dale a tu hijo un número de botones (o cualquier objeto que tengas). Dile: «Ponte detrás de la línea. Lanza los botones de uno en uno, a ver cuántos consigues meter en la papelera».
    2. Cuando haya lanzado todos los botones cuenta los que hay en la papelera. Ésa es la puntuación. Ahora vuelve a intentarlo con más botones o usa los mismos de antes.
    3. Turnaos y añadid el número que cada jugador obtenga a su puntuación. Seguid contando a medida que el juego avanza.

La puntería de tu hijo lanzando botones dentro de una papelera mejorará con la práctica, y para ello tendrá que contar para averiguar «cuántos» una y otra vez.

Crea tus propios juegos de puntería, por ejemplo con piedrecitas en un círculo de arena en la playa, guisantes en un cubo, aros en un palo, etcétera. Los niños más mayores disfrutarán con otros juegos de acertar en un blanco que impliquen sumar la puntuación, como los siguientes:

* **En la huevera**
  Arranca la parte superior de una huevera vieja. Pon un número diferente en cada sección (si tenía seis huevos, pon un número en cada sección, es decir: 1, 2, 3, 4, 5 y 6). Dale a tu hijo una cantidad de cosas pequeñas para lanzar como abalorios, alubias, clips, botones, guisantes o canicas. Cuando un objeto caiga en el cartón puntúa el número que ponga en esa sección. Los niños más mayores puede que prefieran el juego de las pulgas, en el que deben intentar hacer que unas fichas de plástico salten y caigan en las secciones numeradas de la huevera.

* **Puntería con cartas**
  Se reparte una baraja de cartas entre los jugadores, quienes entonces se turnan para lanzar sus cartas al suelo. Si un jugador lanza una carta y ésta cae encima de otra, recoge las dos cartas. El jugador que recoge todas las cartas, o la mayoría, gana.

Habilidades clave: coordinación física, puntería y habilidad contando.

47. Contar cuentos   *4-6+ años*

Cada cuento es una especie de juego con palabras. Para poder crear sus propias buenas historias tu hijo necesita oír muchas otras y tú puedes ser su cuentacuentos más importante. Cuantas más historias compartas con tu hijo, más mejorará para inventarse sus propios cuentos. La edad de cuatro años es un buen momento para motivarle a contar cuentos y escribir historias; sin embargo, no olvides que puedes empezar a leer y contar cuentos a tu hijo a partir de los tres meses en adelante.

Aquí tenéis algunos juegos con cuentos.

- **Contar cuentos**
  1. Escoge un personaje que tu hijo conozca o invéntate uno. A los niños de cuatro años les suelen gustar las historias sobre alguien que se llame igual que ellos, pero también podría ser un animal o un monstruo.
  2. Empieza la historia y después para y dile a tu hijo que continúe.
  3. Cuando tu hijo pare continúa tú. La historia sigue por turnos hasta que termine o hasta que tu hijo esté harto.

Si la historia ha ido bien intenta recordar más tarde qué pasaba en ella con tu hijo.

- **Escribir una historia**
  Haz que tu hijo empiece a contar un cuento como en el juego anterior. Esta vez utiliza hojas de papel en blanco y escribe el cuento tal y como lo explique. Si a tu hijo le resulta difícil inventarse una historia, guíale hacia un cuento que ya conozca. ¿Puede inventarse un final distinto? ¿Qué pasa cuando se acaba el cuento? Cuando el cuento esté acabado grapa las hojas y anima a tu hijo a ilustrar la historia.

- **Historias sobre momentos especiales**
  Invéntate una historia o un libro de cuentos con tu hijo sobre momentos especiales como cumpleaños, fiestas o vacaciones. Añade fotos o dibujos a vuestra historia. Sácala regularmente para que la lea contigo.

- **Argumentos**
  Los argumentos ponen a prueba la capacidad de tu hijo de reconstruir una historia que conozca bien.
  1. Escoge un cuento, con unos siete personajes del libro favorito de tu hijo. Dibuja, traza o recorta dibujos de un duplicado del libro. Pega cada personaje en una hoja de papel.
  2. Di: «¿Quién es?» y comprueba si puede nombrar y decirte cosas sobre cada personaje.
  3. Observa si puede volver a contar el cuento usando sus propias palabras con estos sencillos recordatorios visuales.

Más adelante será capaz de recurrir a su experiencia escuchando y jugando con cuentos para crear sus propias historias, tanto sobre sus propias aventuras como historias fantásticas sobre magia, príncipes y princesas, fantasmas y sucesos extraños.

Véase Historia encadenada (página 112).

Habilidades clave: aptitudes lingüísticas y pensamiento creativo.

48. Hacer mezclas   *4-6 años*

Empieza a enseñar a tu hijo a cocinar dejándole hacer sus propias mezclas. Gracias a la cocina, hacer mezclas y ayudar a hacer la comida, los niños aprenden mucho sobre matemáticas básicas y ciencia y también desarrollan sus aptitudes de lectura.

- **Hacer mezclas**
  1. Empezad haciendo plastilina juntos (*véase* página 36). Anima a tu hijo a hacer su propia plastilina añadiendo ingredientes como colorante de comida o frutos secos.
  2. Probad a hacer sorbetes y batidos caseros. Enséñale cómo mezclar leche, helado o yogur y varias frutas en una licuadora. Invítale a probar la mezcla y a experimentar con diferentes variedades de frutas.

La mayoría de ideas nuevas son combinaciones de viejos elementos, y las mezclas de alimentos son fantásticas para probar este punto. También le dará a tu hijo la confianza para usar recetas al hacer mezclas.

- **¡Cocínalo!**
  1. Escribe tus propias recetas para tu hijo de cuatro años con un diseño llamativo.
  2. Después anima a tu hijo a preparar la receta. Haz de ello un juego, no algo «que tenga que hacer en serio» como si fuera una prueba.
  3. Sigue la receta escrita pero prepárate para que tu hijo experimente a medida que la vaya haciendo, o piense una idea nueva

(¡a menos, claro está, que sus ideas sean claramente antihigiénicas o verdaderamente venenosas!). Haz de las recetas que escribís juntos una razón para leer.

Cuando cocinéis hablad de los ingredientes y razonad cada paso, como por ejemplo cómo los huevos, la leche y la harina combinan juntos. Cada vez que cocines con tu hijo ínstale a pensar sobre lo que está mezclando, cuánta cantidad está mezclando y lo que puede hacer con los resultados.

Habilidades clave: matemáticas, ciencia y aptitudes lingüísticas, creatividad, confianza y habilidad cocinando.

49. ¿Qué falta?   *4-6+ años*

Éste es un juego de resolución de problemas que desarrolla la capacidad de observación y la memoria. Puedes hacerlo muy sencillo o bastante difícil dependiendo de la edad de tu hijo.

* **¿Qué falta?**
    1. Coloca cinco o más objetos diferentes (por ejemplo juguetes o utensilios de cocina) en una bandeja y cúbrelos con un trapo.
    2. Quita el trapo y enséñale los objetos a tu hijo.
    3. Dile que cierre los ojos (o que se dé la vuelta) para que no pueda ver que quitas un objeto de la bandeja.
    4. Cuando hayas terminado, el niño abre los ojos (o se da la vuelta) e intenta adivinar qué objeto falta.

Empieza sólo con unos cuantos objetos al principio y, después de que tu hijo haya acertado varias veces con este número, aumenta el reto añadiendo más objetos. Cambia los papeles de vez en cuando y deja que tu hijo busque algunos objetos para que adivines cuál ha quitado.

Cuando volváis a jugar a este juego utiliza diferentes tipos de objetos, por ejemplo: un grupo de juguetes, lápices de diferentes colores, letras del abecedario, fotos recortadas de una revista, cartas de barajas, piezas de un rompecabezas y demás. También podéis jugar por toda la casa, quitando algo que normalmente está en un sitio y decir por ejemplo: «¿Qué falta en la mesa del comedor/la repisa de la chimenea/en el jardín?».

Véase también El juego de Kim (página 104).

Habilidades clave: observación, concentración y memoria.

50. ¡Burro!   *4-6+ años*

¡Burro! es una manera estupenda de iniciar a tu hijo en el placer de jugar a las cartas. Es un juego rápido que le ayudará a pensar con rapidez, a concentrarse y a practicar para combinar cartas con números y símbolos.

- **¡Burro!**
  1. Mezcla una baraja estándar de cincuenta y dos cartas.
  2. Reparte las cartas entre dos jugadores (o si quieres hacerlo rápido simplemente divide la baraja en dos partes iguales aproximadamente, dándole a tu hijo la parte en la que haya más cartas).
  3. Cada jugador sostiene su pila de cartas en la mano o la deja en la mesa delante de él. Hay dos versiones de este juego.

Versión 1: el juego empieza cuando cada jugador le da la vuelta a la carta superior de su pila a la vez y la coloca boca arriba delante de él. Si las cartas coinciden los jugadores gritan: «¡Burro!». La primera persona que lo dice recoge las cartas de su oponente y las añade al final de su pila de cartas. Los jugadores más jóvenes pueden tener dificultades a la hora de volver las cartas a la vez. Si eso sucede prueba la siguiente versión.

Versión 2: los jugadores juegan sus cartas alternativamente en una pila central y gritan «¡burro!» cuando la carta que juegan coincide con la carta que hay encima de la pila. La primera persona que grita «¡burro!» recoge todas las cartas.

¡Burro! se puede jugar con tres o más jugadores. Las normas son las mismas pero para esto necesitarás dos barajas de cartas debidamente mezcladas. También puedes jugar con barajas de dibujos, pero usando una

baraja de cincuenta y dos cartas tu hijo aprenderá el valor de cada una de ellas, además de los símbolos y los palos.

Cuando los niños juegan juntos el ganador es el que gana las cincuenta y dos cartas, ¡y el perdedor suele ser el niño que se queja a voz en grito porque le han hecho trampas! Cuando el juego se juega bien, es ideal para desarrollar el sentido del juego justo y para manejar el sentimiento de pérdida y frustración.

Otro buen juego de cartas para niños pequeños es de *Parejas*.

Habilidades clave: pensamiento rápido, memoria, concentración y comparación de cartas.

51. Parejas   *3-6 años*

El objetivo de este juego es localizar parejas de cartas y coger más que otros jugadores. Se puede jugar con dos o más jugadores.

- **Parejas**
  1. Baraja las cartas y colócalas como en la ilustración de la página siguiente, boca abajo en una superficie plana y espaciadas en cuatro filas largas de trece cartas cada una.
  2. El niño más pequeño empieza dándole la vuelta a dos cartas.
  3. Si las dos cartas tienen el mismo valor (como un dos de corazones y un dos de trébol o dos reyes), el jugador se las queda y da la vuelta a dos cartas más.
  4. Si las cartas no coinciden se vuelven a colocar boca abajo y es el turno del siguiente jugador.
  5. Los jugadores se turnan hasta que no queden cartas que jugar. El jugador que haya conseguido más cartas es el ganador.

Consejo: asegúrate de que durante el juego la distribución de las cartas no se desordene o que las cartas se amontonen unas sobre otras.

Éste es un gran juego para comprobar la habilidad de tu hijo de memorizar las posiciones de las cartas mientras se les da la vuelta y se vuelven a colocar boca abajo. Si los niños más mayores encuentran este juego demasiado fácil, haz que las cartas coincidan en número y color (así que si le dan la vuelta al dos de corazones la única carta que se puede emparejar será el dos de diamantes).

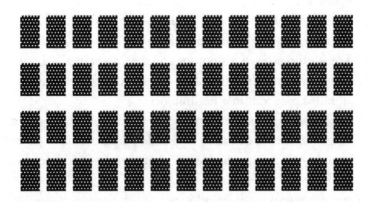

Figura 4. Distribución de las cartas para el juego.

Habilidades clave: memoria, concentración y reconocimiento de números.

52. Juegos para dibujar   *5-10 años*

Anima a tu hijo a desarrollar sus aptitudes artísticas y pensamiento visual haciendo dibujos, como retratos de su familia o mapas simples de su habitación. Aquí tienes algunos juegos sencillos para dibujar:

- **Personas divertidas**
  1. Cada jugador tiene una hoja de papel y dibuja la parte superior de una persona, animal o monstruo divertido, sin enseñarlo al resto de jugadores.
  2. Cuando los jugadores han terminado, doblan la hoja de modo que sólo se vea la parte inferior.
  3. Los jugadores intercambian sus dibujos entre sí y después completan el dibujo que les han dado dibujando la mitad inferior de la persona, animal o monstruo divertido.
  4. Cuando los dibujos ocultos están terminados, los jugadores los desdoblan y enseñan sus dibujos.

- **Dibujos con puntos**

  Éste es un juego sencillo y lo suficientemente desafiante para niños pequeños y más mayores. Sólo se necesita lápiz y papel. No hay límite de jugadores.

  1. Cada jugador dibuja seis puntos en su hoja al azar.
  2. Se intercambian y reparten las hojas.
  3. Los jugadores usan los puntos para hacer un dibujo de cualquier cosa como un animal, una cara o escena divertida. Dales hasta tres minutos para terminar los dibujos.
  4. Los jugadores enseñan entonces su dibujo a todos los demás. El juego demuestra que todo el mundo puede dibujar y pensar con creatividad, ¡aunque puede que algunos sean mejores que otros!

  En vez de puntos, cada jugador puede dibujar tres líneas (rectas o curvas) o formas al azar para que otro jugador las complete. *Véase también Hacer garabatos* (página 125).

- **Casillas**

  Es un sencillo juego de estrategia con lápiz y papel.

  1. Dibuja una cuadrícula de diez puntos separados a la misma distancia en una hoja de papel, y después repite el patrón debajo hasta que haya diez filas de diez puntos (como en la Figura 5). Los niños más pequeños pueden preferir una cuadrícula más pequeña de seis filas de seis puntos.
  2. Los jugadores se turnan para dibujar una línea recta (horizontal o vertical, pero nunca diagonal) entre dos casillas adyacentes.
  3. Cada jugador intenta completar una casilla dibujando la cuarta línea a su alrededor. El jugador que complete una casilla pone su inicial en ella y puede dibujar otra línea.

  El ganador es el jugador que completa más casillas al final del juego. Es necesario pensar para dibujar las líneas que forman casillas o para evitar que tus oponentes completen casillas.

  Anima a tu hijo a dibujar la cuadrícula para el siguiente juego.

- **El gusano**

  Utiliza la misma cuadrícula de 10 x 10 que en *Casillas* (*véase* Figura 5).

  1. Un jugador dibuja una línea recta (tanto vertical como horizontal, pero nunca diagonal) entre dos puntos adyacentes cualesquiera en la cuadrícula y dibuja un pequeño círculo en un extremo de la línea para marcar la cabeza del gusano.
  2. El siguiente jugador une el otro extremo de la línea (la cola) a otro punto adyacente.
  3. Los jugadores se turnan para continuar dibujando líneas desde la cola a cualquier punto junto a ella, con el objetivo de forzar al otro jugador hacia una posición donde no pueda dibujar otra línea hacia ningún punto cercano.
  4. El ganador es el último jugador que dibuja una línea válida extendiendo la cola.

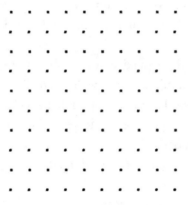

Figura 5.

Habilidades clave: aptitudes visuales, creativas y artísticas.

53. Juegos de deducción   4-6+ *años*

Una deducción se produce cuando usamos la lógica o una serie de razonamientos para resolver un enigma o un problema. Los juegos de deducción se pueden jugar en cualquier momento. Dile a tu hijo que es un detective que debe intentar resolver un misterio a partir de las pistas que le dan.

- **Deducción**

El juego requiere que te inventes pistas sencillas. Tu hijo debe intentar usar la deducción a partir de las dos pistas o más que le des. Por ejemplo:

«Estoy sujetando algo en mi oreja y hablando. ¿Qué estoy haciendo?» (usando mi móvil/teléfono).

«Estoy sosteniendo una caña en la mano y estoy de pie en el agua. ¿Qué estoy haciendo?» (pescando).

«Estoy viendo monos en una jaula y oigo rugir a unos leones. ¿Dónde estoy?» (en el zoo).

«He comprado un billete y estoy en un andén. ¿Dónde estoy?» (en la estación de tren).

«Puedo ver narcisos en el jardín. ¿Qué época del año es?».

«Estoy comiendo un bol de cereales y bebiendo zumo de naranja. ¿Qué momento del día es?».

«Estoy pensando en un animal que salta y croa. ¿Qué es?».

«Estoy pensando en una cosa húmeda, helada y que cae del cielo. ¿Qué es?».

A veces las pistas pueden sugerir más de una posible respuesta. Plantéale a tu hijo una perspectiva sencilla y comprueba si puede pensar en más de una razón posible para ello. Por ejemplo:

«Estoy envolviendo un regalo para alguien. ¿Por qué lo puedo estar haciendo?».

«Una niña pequeña está sola, llorando en la calle. ¿Por qué puede ser?».

«Si estuvieras caminando por la hierba y le dieras un puntapié a algo duro, ¿qué podría ser?».

«¿Cómo sabes si alguien se ha hecho daño?».

Cuando salgáis juntos y veáis algo extraño pregúntale: «¿Por qué está eso ahí?» o «¿Qué crees que está pasando?». Anímale a inventarse sus propias pistas o turnaos para hacer preguntas. Más adelante prueba a añadir tres o más pistas, por ejemplo: «Dan es más alto que Jill. Jill es más alta que Tom. ¿Quién es el más alto?».

Habilidades clave: lógica, razonamiento y aptitudes lingüísticas.

54. Juegos con números *4-6+ años*

Cuando juegas a juegos usando números estás ayudando a desarrollar las aptitudes numéricas de tu hijo. Los siguientes juegos contribuirán a desarrollar su sentido de los números y se familiarizará con ellos.

- **Hazlo antes de que cuente hasta...**

  Cuando quieras que tu hijo haga algo, conviértelo en un juego sugiriendo que lo haga antes de que cuentes hasta... (el número que mejor te vaya), por ejemplo:

  «Lávate las manos antes de que cuente hasta veinte»;

  «Termina de cenar antes de que cuente de diez en diez hasta doscientos»;

  «Vístete antes de que cuente de cinco en cinco hasta cien»;

  «Sécate con la toalla antes de que cuenta hacia atrás del veinte al uno».

  Intenta variar cada vez tu manera de contar, por ejemplo de dos en dos, de cuatro en cuatro, de cinco en cinco, de diez en diez, de cien en cien, en mitades, en cuartos y hacia atrás para que siga siendo un juego.

  Si no hay ninguna tarea en especial que quieras que haga tu hijo, haced tonterías como:

  «Camina de puntillas por la habitación antes de que cuente hasta...»,

  «Camina hacia atrás hasta el fondo del jardín ida y vuelta antes de que cuente hasta...»;

  «Sube dando saltos por la escalera y métete en la cama antes de que cuente hasta...».

  Te sorprenderá cómo un juego como éste ayudará a tu hijo a contar hasta números altos o cómo empezará a aprender los conceptos básicos de la multiplicación.

- **Une los números**

  Este sencillo juego de lápiz y papel es adecuado para niños pequeños y mayores. Puede ayudarles a aprender y reconocer números escritos.

1. Un jugador escribe los números del uno al veintiuno al azar por toda la hoja de papel. El otro jugador hace lo mismo en la misma hoja asegurándose de que ningún número está demasiado próximo a su idéntico.

2. El primer jugador dibuja una línea (recta o curva) para unir dos números iguales (por ejemplo, los dos cuatros). El siguiente jugador dibuja una línea entre otros dos números idénticos (por ejemplo, los dos treces) asegurándose de que la línea no cruza la que ya está dibujada.

3. Los jugadores se turnan para dibujar líneas (sin cruzar otras) hasta que un jugador no puede unir ningún número idéntico. El último jugador que une una pareja de números gana.

Hay que pensar estratégicamente al planear tus primeras líneas para asegurarte de que tu oponente no puede dibujar la última línea del juego.

Habilidades clave: pensamiento, aptitudes numéricas y artísticas.

55. ¿Te acuerdas? *3-6 años*

Al igual que otros poderes de la mente, la memoria de tu hijo se puede entrenar. Desafíale a recordar cosas que han pasado durante el día, pregúntale qué pasó ayer, la semana pasada, el mes pasado, el año pasado y demás. A la hora de irse a la cama pídele que recuerde el día, el cuento que ha leído, lo que ha visto o una conversación que haya tenido. Quizá mamá lo haga esta noche y papá la siguiente, o viceversa. Anímale a sacar «fotos mentales» en su cabeza para ayudarle a recordar. Pídele que recuerde algo interesante que hayáis visto juntos. ¿Cuántas cosas que ha visto puede recordar? ¿Se acuerda de algo que tú no recuerdes? ¿Recuerdas tú algo que él no recuerde?

- **Juego de memoria con un dibujo**
  Escoge un dibujo interesante de su libro de dibujos favorito. Pídele que observe el dibujo con atención porque vais a jugar a un juego de memoria. Pasa la página o cierra el libro y comprueba cuántas cosas diferentes puede recordar del dibujo. ¿Puede recordar diez cosas?

También puedes jugar a este juego después de haber ido a un museo o de haber visto cualquier imagen interesante. Una variante consiste en pedirle a tu hijo que dibuje lo que recuerde y después comparar su dibujo con la imagen original.

Para más juegos de memoria para niños mayores ver *Juegos de memoria* en la página 104 y *Pelmanismo* en la página 147.

Habilidades clave: memoria, vocabulario y aptitudes lingüísticas.

56 ¡Qué tonto soy!   *3-6 años*

Los niños pequeños adoran los chistes tontos y los juegos de palabras. Si te escuchan jugar a juegos como *¡Qué tonto soy!* pronto empezarán a inventarse sus propias combinaciones de palabras. Ser tonto puede ser divertido.

- **¡Qué tonto soy!**
  1. Para este juego puedes inventarte una frase sin sentido, por ejemplo: «Hoy he cenado pescado con sombreros».
  2. Entonces invítale a que te responda: «¿Qué has cenado hoy?». Se supone que te contestará con una frase igual de tonta, como: «Hoy he cenado huevos con botas».
  3. Si no contesta, o después de que lo haga, dile otra frase tonta. Por ejemplo: «Hoy voy a tomar con el té tostadas con ositos» y demás.

- **El juego del gato y el oso**
  Este juego de palabras y observación para niños de tres o cuatro años se puede jugar en cualquier sitio.
  1. Tú dices: «Encuentra un/a... (nombra algo que pueda ver, por ejemplo: "un coche rojo, señor Gato")».
  2. Cuando él lo ve, contesta: «Mira allí, señor Oso».
  3. Tú contestas: «Ya lo veo, señor Gato».

Mira hacia el objeto mientras lo nombras para hacer que lo encuentre con más facilidad. Si al principio le cuesta decir las palabras, pídele que lo señale simplemente.

Habilidades clave: lenguaje, pensamiento creativo y aptitudes sociales (respetar turnos).

57. Juegos de tres en raya   *4 años-adulto*

El *Tres en raya* o *Tres en línea* es un sencillo juego con lápiz y papel para dos jugadores. Para ganar el juego es necesaria la suerte si se juega sin pensar, o pensar estratégicamente si quieres ganar. Se juega en una cuadrícula de 3 x 3 (*véase* Figura 6) dibujada en un papel. Se puede jugar dibujando los círculos y las cruces o usando tres fichas cada uno (u otros objetos pequeños) para jugar.

- **Tres en línea**
  Los jugadores se turnan marcando los espacios en una cuadrícula de 3 x 3 con un círculo o una cruz. El jugador que consigue colocar tres círculos o cruces en una fila horizontal, vertical o diagonal gana el juego.
  1. Decidid qué jugador juega con círculos y cuál con cruces. Normalmente empiezan las cruces.
  2. El primer jugador coloca una cruz en cualquiera de las nueve casillas del tablero.
  3. El siguiente jugador coloca un círculo en cualquier espacio vacío.
  4. Los jugadores se turnan hasta que un jugador tiene tres de sus cruces o círculos en una fila (tanto horizontal, vertical o diagonal). Si ningún jugador lo consigue es un empate (lo cual suele suceder).

Hay una estrategia para ganar que consiste en que el primer jugador en jugar no puede ser vencido. ¿Podéis descubrir tu hijo y tú cuál es esa estrategia? Prueba a inventar con tu hijo vuestra propia versión del juego usando diferentes disposiciones de cuadros u otras formas.

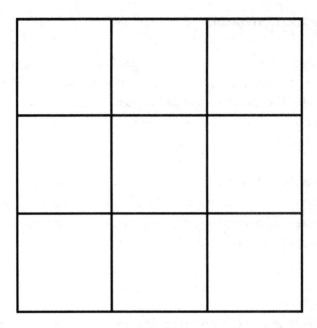

Figura 6. Tres en raya.

- **Esquiva dos (o tres)**

  Esquiva dos se juega en un tablero de ajedrez o damas con ocho fichas cada uno y el objetivo del juego es *no colocar dos de tus fichas en línea* tanto en horizontal, vertical o diagonal.

  1. Los jugadores se turnan para colocar sus fichas en el tablero.
  2. Comprueba cada vez que ningún jugador tiene dos en línea.
  3. Continuad jugando hasta que un jugador coloca dos en línea. Entonces éste pierde el juego.

  Esquiva tres es una versión más compleja de este juego en el que ningún jugador debe hacer una línea de tres, ni vertical, horizontal o diagonal.

  *Véase **Nueve hombres de Morris** página 125.*

Habilidades clave: pensamiento estratégico, planificación y resolución de problemas.

58. Juegos con dados

En los juegos de mesa se suele utilizar un dado, por ejemplo en juegos de carreras como *Serpientes* y *La escalera*. Pero se puede jugar a muchos juegos divertidos usando sólo el dado. Puedes hacer tu propio dado, por ejemplo con terrones de azúcar, poniendo los números seis y uno, cinco y dos, cuatro y tres en lados opuestos.

- **Batalla de dados**

  El juego más sencillo es que cada jugador tire el dado y comprobar quién saca la mayor puntuación y añadir los puntos hasta llegar a cincuenta o bien contar el número de rondas ganadas (digamos hasta diez).

- **¡Supera eso!**

  Éste es un gran juego para enseñar a los niños más pequeños el concepto del valor posicional. Todo lo que necesitas son dos dados, un lápiz y una hoja de papel para anotar la puntuación. Los niños más mayores pueden usar más dados (hasta siete) para hacerlo más interesante. El objetivo es obtener la puntuación más alta tras un cierto número de rondas.

  1. Cada jugador tira todos los dados. Después los ordena para conseguir el número más alto usando el valor de los dados y dice: «Supera...». Por ejemplo, si un jugador ha sacado un tres y un cuatro, los colocaría como cuarenta y tres y no como treinta y cuatro y diría: «¡Supera cuarenta y tres!». La puntuación se anota en la hoja.

  2. Cada jugador se turna para tirar los dados, calcular su puntuación más alta y decir: «¡Supera eso!».

  3. El juego continúa durante cinco rondas, añadiendo la puntuación de cada ronda a la anterior.

  4. El jugador con la puntuación total más alta al final de las cinco rondas gana.

Una variante es hacer que el objetivo sea conseguir la puntuación total más baja posible. Los niños más mayores que entienden el valor posicional pueden usar hasta siete dados para calcular su número más alto, ¡hasta millones! Por ejemplo si saca tres, uno, seis, dos, uno, cuatro y cinco su mejor puntuación sería 6.543.211.

Habilidades clave: aptitudes matemáticas y numéricas, incluida la comprensión del valor posicional.

59. Juegos para cazar   *3-6 años*

A los niños les encanta la idea de cazar, de ahí la popularidad de libros como *Vamos a cazar un oso* de Michael Rosen. Los siguientes son juegos de caza que los retan a resolver problemas y convertirse en cazadores o detectives.

- **Una ardilla en el picnic**
  Para este juego necesitarás equipamiento para un picnic como una manta, una cesta, servilletas, platos, una botella de agua, comida, recipientes, etcétera.
  1. Coloca la manta y cinco cosas que llevarías a un picnic, por ejemplo una cesta, servilletas, platos, una botella de agua y un recipiente con comida.
  2. Siéntate con tu hijo sobre la manta y enséñale los objetos.
  3. Dile a tu hijo que cierre los ojos y retira un objeto.
  4. Una vez que abra los ojos comprueba si puede decir qué objeto se ha llevado «¡la ardilla que vino al picnic!». Este juego es divertido para toda la familia, ¡a los hermanos mayores les encanta ser la ardilla!

- **Cazar dinosaurios**
  A este juego se puede jugar en casa o al aire libre. Necesitas una cesta grande y una serie de juguetes como dinosaurios de plástico, animales de peluche o algunos de sus juguetes favoritos.
  1. Dale a tu hijo una cesta grande y dile que recoja todos los juguetes que ha escogido, por ejemplo dinosaurios.
  2. Una vez los tenga todos, cuéntalos según su tamaño (por ejemplo, once grandes, ocho medianos y siete pequeños).

3. Después mándalo a otra habitación y dile que se quede allí hasta que le llames (los niños más mayores pueden contar hasta cincuenta o cien, con lo que tendrás tiempo suficiente para esconder los juguetes).

4. Mientras el niño está en otra habitación, esconde los dinosaurios por toda la casa pero de manera que estén a la vista.

5. Cuando hayas terminado, dale al niño la cesta y envíale a cazar dinosaurios.

6. Cuando crea que los ha encontrado todos, tiene que contarlos de nuevo para asegurarse.

Habilidades clave: resolución de problemas y pensamiento creativo.

60. Acertijos   *3-6 años*

En la vida a menudo tenemos que arreglárnoslas con informaciones incompletas, cosa que a tu hijo también le ocurrirá. Lo que no sabemos lo tenemos que suponer, aunque algunas suposiciones son mejores que otras. Las buenas suposiciones son las que hacemos con un razonamiento. Cuando utilizamos lo que sabemos como pistas, o tenemos un motivo para una suposición en particular, hacemos lo que se llama una «conjetura fundamentada». En cambio si no pensamos en ello, hacemos una «conjetura al azar». Otra palabra para definir una «conjetura fundamentada» es «hipótesis». Crear hipótesis es la primera fase de la investigación científica. Intenta animar a tu hijo a no hacer suposiciones al azar sino a hacer hipótesis y a utilizar la información que tiene como pistas, igual que un científico o un detective.

- **¿Lo puedes adivinar?**
  Este juego es una variante de *Veinte preguntas* (*véase* página 97) y se puede jugar en cualquier lugar.
  1. Dile a tu hijo: «Estoy pensando en algo. ¿Puedes adivinar lo que es? Te doy una pista…».
  2. Empieza a darle pistas, una a una. Por ejemplo: «es pequeño», «es peludo», «tiene cuatro patas», etcétera.

3. Anímale a adivinarlo. Si no lo adivina, dale otra pista: «Bebe leche».
   Si todavía no lo adivina sigue dándole pistas. Cuando finalmente lo
   adivine, por ejemplo: «es nuestro gatito», querrá jugar otra vez.

Invita a niños más mayores a «que te pongan una difícil».

- **¿Qué hay en el calcetín?**
  Esta actividad ayuda a los niños a concentrarse en el sentido del tacto.
  Para esto necesitarás un calcetín y objetos pequeños con objeto de que
  los niños los toquen.
  1. Coloca un objeto pequeño dentro de un calcetín largo.
  2. Dile a tu hijo que meta la mano en el calcetín, que toque el objeto
     e intente adivinar qué es.

     Escoge objetos como una moneda, un botón, una piedra, un
     globo, un lápiz o un juguete pequeño.

Cuando te dé una respuesta prueba a preguntarle: «¿Por qué piensas
que es eso?» y comprueba si tiene un motivo. ¿Ha sido una conjetura fundamentada?

Habilidades clave: pensamiento crítico (razonamiento) y aptitudes científicas (hacer hipótesis).

3

Juegos de inteligencia
para tu hijo de 6-9 años

Los niños necesitan el estímulo del ejercicio mental para mantener su mente en buenas condiciones. Al igual que un músculo, la mente humana se expande y se desarrolla con el uso y se mantiene en forma a través de la actividad y el ejercicio regular. Es algo que los niños también quieren para sí mismos. Como dijo Sophie, de ocho años: «Ojalá tuviera un cerebro más grande». Sophie no puede cambiar su cerebro pero lo que sí puede hacer es un mejor uso de él y los juegos de inteligencia le ayudarán.

Cuando tenga seis o siete años el cerebro de tu hijo acelerará su crecimiento. Aprenderá y recordará cosas más fácilmente y solucionará problemas, su pensamiento aumentará en velocidad y recordará más cosas. Empezará a entender símbolos como los números y será capaz de jugar a juegos de palabras y números más desafiantes.

Los niños de seis a nueve años suelen disfrutar jugando al aire libre con otros niños además de jugar en casa. Sus aptitudes físicas han mejorado y disfrutan montando en bici, realizando actividades deportivas, bailando y jugando a otros juegos con actividad física. Amplía la exposición de tu hijo a los deportes, al baile, a las artes marciales y a cosas por el estilo para que ponga en práctica sus nuevas aptitudes físicas y gane seguridad en sí mismo.

Jugar por su cuenta es también importante, por ejemplo jugar con figuras de acción o muñecos, organizar grupos de juguetes o intercambiando cartas. Esto le da tiempo para pensar, y es un escape de las peleas y discusiones que a menudo surgen entre sus compañeros. También disfrutará jugando a juegos de mesa y de cartas con otros. Déjale jugar a lo que quiera, pero introdúcele también a nuevos juegos de inteligencia que desafíen su pensamiento, además de proporcionar diversión con la familia (juegos 60-90).

Figura 7.

Juegos de inteligencia para niños de 6-9 años

61. Veinte preguntas
62. ¡Era broma!
63. Conecta
64. Casa de origami
65. ¿Qué prefieres?
66. Juegos de memoria
67. Juegos revueltos
68. ¿Quién es?
69. Tenis con rimas
70. Juegos para escuchar

71. Sólo un minuto

72. Juegos con nombres

73. Juegos con cuentos

74. Laberintos

75. Juegos con mapas

76. Juegos de manos

77. Consigue un número

78. Cuenta atrás

79. ¡Cerdo!

80. Carreras

81. Juegos de estrategia

82. Ach

83. Tres en raya

84. Juegos para dibujar

85. Juegos de cartas

86. Juegos de mesa

87. Autos de choque

88. Juegos con puntos

89. Trabalenguas

90. Juegos de dominó

61. Veinte preguntas   *6-11+ años*

Éste es un juego de toda la vida, pero puede hacer pensar mucho a personas de cualquier edad. Se puede jugar en cualquier momento y las reglas son sencillas.

- **Veinte preguntas**
  1. Una persona piensa en un objeto y después decide si es:
     - animal (un animal vivo o si se forma a partir de un animal como la lana, el cuero o la leche);
     - hortaliza (una planta o producto que venga de las plantas como la madera o la goma) o
     - mineral (cualquier otra cosa como metal, piedra, plástico u otro material).

97

O una combinación de todos.

2. Los jugadores se turnan para hacer preguntas a la persona que piensa el objeto para intentar averiguar qué es. La única respuesta que se puede dar es «sí» o «no». Si un jugador consigue adivinar el objeto antes de hacer veinte preguntas, gana. Si no lo consigue, gana la persona que piensa el objeto.
3. La persona que gana piensa el siguiente objeto misterioso, o se turnan para ello.

Empieza con cosas sencillas de la casa. Enséñale cómo descubrir las respuestas mediante un proceso de eliminación, en vez de adivinando al azar. Por ejemplo, si es un animal, unas buenas preguntas serían: «¿Es más grande que un perro?» (averiguar el tamaño), «¿es un animal salvaje?» (para ver qué tipo de animal), «¿tiene cuatro patas?» (ayuda a excluir personas, pájaros, peces e insectos). Una variante de *Veinte preguntas* es *¿Quién soy?*

- **¿Quién soy?**
  En este juego un jugador sale de la habitación mientras los otros deciden qué personaje conocido, real o de ficción, es esa persona, por ejemplo una personalidad de la televisión o el personaje de un cuento (asegúrate de que sea un personaje que conozca). Después se le pide al jugador que vuelva y tiene veinte preguntas para intentar averiguar quién es.

Habilidades clave: lógica, lenguaje, formulación de preguntas y velocidad de pensamiento.

62. ¡Era broma! *6-11+ años*

¿Cuál es el chiste favorito de tu hijo? Éste es el chiste favorito de un niño de cinco años:

Pregunta: ¿Qué le dice una uva a otra uva?
Respuesta: Nada, tonto. Las uvas no hablan.

Esta capacidad del cerebro para crear conexiones es la fuente del aprendizaje humano, de toda nuestra creatividad y cultura. Es también la razón por la que nos reímos de un chiste o solucionamos un acertijo. Lo que nos hace reír es la conexión creativa que hay entre dos ideas inesperadas en un chiste. La capacidad intelectual se construye estableciendo conexiones, y contar chistes es un aspecto importante del uso creativo de las palabras. Así que, siempre que puedas, comparte un chiste con tu hijo.

- **Cuenta un chiste**
  ¿Te ha pasado algo divertido hoy? Cuéntaselo a tu hijo. Anímale a compartir sus momentos divertidos contigo. Comparte el interés de tu hijo por los chistes, los juegos de palabras y los acertijos. Éste es un chiste que hace poco me contó un niño:

  Niño: Toc-toc.
  Yo: ¿Quién es?
  Niño: Aitor
  Yo: ¿Qué Aitor?
  Niño: ¡Aitor-menta!

  ¿Podéis tu hijo y tú inventaros más chistes que empiecen con «toc-toc»? Intercambia chistes con tu hijo. Si no te sabes ningún chiste que le pueda gustar a los niños compra o toma prestado un libro, o busca algunos en internet. Anima a tu hijo a encontrar chistes para ti. Cuando le pregunté a una niña por su chiste favorito contestó: «¿Sabes qué le dice un pez a otro?». Yo, después de pensar un poco contesté: «No». «Nada», respondió la niña.

- **Acertijos**
  Los acertijos son un tipo muy antiguo de juegos de palabras universal. ¿Qué acertijos conoce tu hijo?
  El siguiente acertijo era el favorito de un niño de ocho años:

  Pregunta: ¿Cuál es el ave que tiene más letras?
  Respuesta: El abecedario.
  Invéntate algunos acertijos o compra un libro de acertijos para niños.

Véase también **Trabalenguas** página 132.

Habilidades clave: aptitudes sociales y lingüísticas.

63. Conecta   *6-11+ años*

Hacer conexiones es el modo en que un niño crea un entendimiento del mundo. Crear nuevas conexiones es el proceso básico de todo pensamiento creativo. Este juego desafía a los niños a crear conexiones creativas entre palabras. La mayoría de palabras expresan ideas sobre cosas, pero algunas palabras no, ya que simplemente sirven para conectar palabras, por ejemplo «y», «porque» y «después». Las ideas que expresan las palabras se llaman conceptos. Algunas palabras o conceptos están unidos, pero no todas las ideas tienen una unión o conexión directa. *Conecta* es una especie de «tenis con palabras» que reta a los jugadores a hacer conexiones creativas entre ellas.

- **Conecta**
  1. Explica cómo una palabra tiene conexión en significado con otra, por ejemplo «pie» conecta con «pelota» porque puedes chutar una pelota con el pie. «Pie» también podría conectar con dedos, pierna y otras palabras. La palabra «árbol» tiene conexión con «hoja» o «madera», pero quizá no con «tetera».
  2. Di una palabra y comprueba si tu hijo puede encontrar una palabra que conecte con ella, por ejemplo «sombrero».
  3. Después debes encontrar una palabra que conecte con la palabra de tu hijo, por ejemplo «cabeza».
  4. Continuad turnándoos hasta que a uno no se le ocurra ninguna palabra o la última palabra dicha no tenga una conexión aparente diciendo: «¿Cuál es la conexión?».

Conecta se puede jugar con cualquier número de jugadores por turnos. Cuando hay más de dos, cualquier disputa sobre si una palabra realmente conecta con otra se puede decidir por votación. La manera de evitar disputas es simplemente volviendo a empezar el juego.

- **¿Qué tiene qué ver?**

Dile a tu hijo: «Estoy pensando dos cosas, ¿puedes decir qué tienen que ver?» o «¿Puedes ver cómo están conectadas?». Por ejemplo «huevo» y «libro». (Los pájaros ponen huevos y puedes leer recetas que llevan huevo en un libro).

Pregúntale a tu hijo: «¿Puedes pensar en dos palabras que no se puedan conectar por una idea?». Juegos relacionados para jugar con niños más mayores son *Conectar palabras* en la página 139 y *Desconexiones* (*véase* página 157).

Habilidades clave: aptitudes lingüísticas, construcción de conceptos y pensamiento creativo.

64. Casa de origami   *6-11+ años*

«Origami» es una palabra japonesa que significa doblar papel. Es una habilidad que los japoneses aprenden de niños y siguen practicando de adultos. Es tanto una forma de arte como un modo práctico de aprender cómo hacer figuras y bonitos envoltorios.

Los niños pequeños necesitarán ayuda, así que es una buena idea practicar uno mismo antes de enseñárselo a ellos. Un modo divertido de empezar es haciendo una casa de origami.

Para hacer una casa de origami necesitarás empezar con un folio de tamaño A4. ¡Cuando hagas origami es una buena idea tener varias hojas a mano por si te equivocas!

- **Casa de origami**

Para hacer una casa de origami enseña a tu hijo cómo doblar el papel de la siguiente manera:

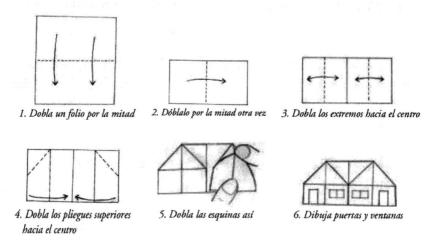

1. *Dobla un folio por la mitad*   2. *Dóblalo por la mitad otra vez*   3. *Dobla los extremos hacia el centro*

4. *Dobla los pliegues superiores hacia el centro*   5. *Dobla las esquinas así*   6. *Dibuja puertas y ventanas*

Figura 8. Pasos para hacer una casa de origami.

Una vez que la «casa» está hecha se puede decorar con lápices de colores o rotuladores y dibujar una sorpresa en el interior.

Habilidades clave: destreza manipulativa, creatividad y capacidad para seguir instrucciones.

65. ¿Qué prefieres?   *6-11+ años*

¿Qué prefieres? es un sencillo juego de preguntas y respuestas para desafiar el pensamiento de tu hijo.

Se juega dándoles a escoger entre dos alternativas y preguntando: «¿Qué prefieres?». La elección puede ser entre dos objetos, fotos, personas, lugares, sentimientos, palabras o cosas imaginarias. Una elección sencilla entre una cosa u otra podría ser fácil, pero lo siguiente añade emoción: «Di, por qué». Y: «… y ¿alguna otra razón?».

Puedes jugar en cualquier momento y en cualquier lugar, tal vez siguiendo el hilo de algo que estáis viendo o haciendo, por ejemplo leyendo un libro o viendo la televisión. Pregúntale: «¿Qué prefieres: ser... (este personaje) o... (otro personaje)?».

A continuación tienes algunos ejemplos de preguntas.

- **¿Qué prefieres...?**

  ¿Qué prefieres: ser una mariposa o una abeja?

  ¿Qué prefieres: ser un río o un puente?

  ¿Qué prefieres: ser un niño o un adulto?

  ¿Qué prefieres: ser rico o feliz?

  ¿Qué prefieres: ser una hormiga o un elefante?

  ¿Qué prefieres: ser rojo o verde?

  ¿Qué prefieres: ser sí o no?

  ¿Qué prefieres: ser un bosque o un arroyo?

  ¿Qué prefieres: ser una mesa o una silla?

  ¿Qué prefieres: vivir en el campo o en la ciudad?

  ¿Qué prefieres: tener cincuenta euros o cinco amigos?

  ¿Qué prefieres: ir a otro mundo a través de una puerta o tener caramelos gratis el resto de tu vida? ¿Por qué?

Desarrolla el juego diciéndole a tu hijo que escoja entre tres o más alternativas, por ejemplo: «¿Qué prefieres: vivir en una casa al lado del mar, en la nieve o en la selva? ¿Por qué?». Los niños más mayores pueden dar opciones con un final más abierto, por ejemplo: «¿Qué prefieres: ser un color o un sonido? ¿Qué color o qué sonido? ¿Por qué?».

Después del juego diles a tus hijos que piensen ellos mismos diferentes tipos de dilemas. Algunos ejemplos propuestos por niños son: ¿Qué prefieres: ser un caballo, un perro, un cerdo o una araña? ¿Qué prefieres: ser un gigante o un enano? ¿Qué prefieres: tener un millón de euros y ser rico, o ser pobre y vivir para siempre? *Véase también* el libro de ilustraciones de John Burningham titulado *¿Qué prefieres?*

Habilidades clave: lenguaje, razonamiento y pensamiento creativo.

66. Juegos de memoria *7-11+ años*

La memoria de un niño puede mejorar a través del entrenamiento, y los recuerdos importantes se mantienen vivos cuando de repente vienen a la mente. Los juegos de memoria pueden ayudar a mejorar la capacidad de tu hijo para recordar.

El juego de Kim apareció por primera vez en el libro *Kim* de Rudyard Kipling y formaba parte del entrenamiento del héroe. Kim tenía que sentarse en el suelo con las piernas cruzadas delante de una mesa baja en la que su maestro colocaba varias piedras, abalorios y otros objetos de diferente tamaño, forma y color. Tras un pequeño espacio de tiempo los objetos se cubrían y le pedían a Kim que recordara todos los objetos y su posición en la mesa. Cuanto más practicaba, mejor se le daba recordar. Comprueba si a tu hijo también le pasa lo mismo.

El juego de Kim se puede jugar con uno o más niños. Necesitarás una bandeja, un trapo para cubrirla y un surtido de varios objetos.

- **El juego de Kim**
  Aquí tienes dos versiones de este juego:
  1. Coloca hasta diez objetos cotidianos en una bandeja. Enséñaselos a tu hijo y dile que intente recordar lo que ve. Al cabo de un minuto cubre la bandeja o escóndela. Después pídele que te diga o que anote tantas cosas como pueda recordar. Si juegan dos o más niños gana el que recuerde más cosas.
  2. Después de ver los objetos en la bandeja o bien mandas al niño fuera de la habitación o le vendas los ojos para que no vea. Entonces, cambia la posición de los objetos sustituyendo algunos, dile que vuelva (o quítale la venda) y comprueba si puede encontrar lo que has movido.

Añade más objetos para hacer el juego más emocionante. *Véase también El gato del ministro* en la página 153.

- **Memoria con dibujos**
  En este juego son dibujos y no objetos lo que hay que recordar. Enséñale a tu hijo diez dibujos, escóndelos y pregúntale cuántos puede

recordar. Un reto añadido es numerar los dibujos, y preguntarle, por ejemplo: «¿Puedes recordar el dibujo número cinco?».

Los juegos de memoria también se pueden jugar con palabras o números. Por ejemplo, escribe diez palabras o números al azar en una hoja de papel, enséñaselo a tu hijo durante un minuto, tápalo y comprueba cuántos puede recordar. *Véase también* el juego de memoria *Pelmanismo* en la página 147.

Habla con tu hijo de las diferentes maneras que hay de recordar cosas, como por las iniciales (nemotécnica), colores o inventando una historia que una varias cosas que recordar.

Habilidades clave: entrenamiento de la memoria, concentración y visualización.

67. Juegos revueltos   *7-11+ años*

Conseguimos darle sentido al mundo traduciendo nuestras experiencias a palabras y dándoles una estructura y un orden. *Juegos revueltos* reta a tu hijo a dar un significado y poner en orden una mezcla confusa de palabras y frases. Se puede jugar con cualquier número de personas, aunque es mejor jugar en parejas o grupos pequeños.

- **Palabras revueltas**
  Se puede jugar usando fichas con letras, con lápiz y papel o con un ordenador.
  1. Consigue fichas de letras (por ejemplo del Scrabble) o hazlas tú con letras escritas en tarjetas individuales. Puedes usar tanto mayúsculas como minúsculas.
  2. Escoge letras que formen una palabra que tu hijo conozca bien, como un nombre (por ejemplo, MIGUEL) y mézclalas para desordenarlas (por ejemplo, LGEUIM).
  3. Los jugadores intentan ordenar las letras para formar una palabra con significado. Deja que tu hijo mezcle algunas palabras para desafiarte a ti o a sus amigos.

- **Rimas y poemas revueltos**
  1. Imprime una rima o un poema corto que tu hijo conozca y corta cada verso por separado.
  2. Reta a tu hijo a colocar los versos en el orden correcto (o en un orden que tenga sentido).

Sigue jugando con rimas y poemas que tu hijo no conozca. ¿Puede hacer que los versos desordenados tengan sentido?

- **Libro de dibujos revuelto**
  Copia las páginas de un libro de dibujos que tu hijo conozca, mézclalas y comprueba si tu hijo puede ponerlas en un orden que tenga sentido.

- **Historia revuelta**
  Escribe el argumento de un cuento que tu hijo conozca bien en tan pocas líneas como sea posible. Mezcla el orden de las líneas y reta a tu hijo a ponerlas en un orden que tenga sentido.

Invéntate tu propio juego de ordenar usando recetas de cocina, instrucciones o los momentos clave en la vida de una persona.

Habilidades clave: creatividad y lenguaje.

68. ¿Quién es?   *7-11+ años*

Éste es un juego de adivinar en el que una persona se describe con un número de frases cortas y los jugadores intentan averiguar quién es. Cualquier número de personas puede jugar y todo lo que se necesita es un bolígrafo o un lápiz y papel. A los niños a menudo les gusta jugar a esto con sus padres.

- **¿Quién es?**
  Explica cómo puedes describir personas como si fueran otras cosas, por ejemplo una estación, un animal, un color o un mueble. Da algu-

nos ejemplos como: «Ella es como el sol en verano, un gato acicalado y una alfombra roja». Una vez que tu hijo haya entendido la idea, el juego puede empezar.

1. Un jugador piensa en alguien que todos los demás conozcan (por ejemplo alguien de la habitación), pero no dice quién es (¡ni le mira!).

2. Los otros jugadores intentan averiguar quién es preguntando cosas como:

«¿Qué tipo de mueble es esta persona?».

«¿Qué tipo de animal?».

«¿Qué tipo de tienda?».

«¿Qué tipo de vacaciones?».

El jugador que ha elegido a la persona misteriosa debe contestar las preguntas para dar una pista de quién es.

3. La persona que acierta puede ser el siguiente en pensar en alguien, o todos los que quieran hacerlo pueden turnarse.

Otros tipos de persona para escoger pueden ser personajes de televisión o cuentos, familiares o compañeros de clase que todos conozcan.

• **¿A quién estoy dibujando?**

1. La versión más sencilla es simplemente que un jugador dibuje a la persona que ha elegido en una hoja grande de papel que todos puedan ver.

2. El primero que adivina quién es a partir del dibujo gana la ronda.

3. El ganador puede dibujar a su persona misteriosa o se van turnando.

Habilidades clave: creatividad, fluidez verbal y aptitudes lingüísticas (hacer símiles y metáforas).

69. Tenis con rimas   *7-11 años*

Éste es un juego sencillo que se puede jugar en cualquier lugar. Se llama *Tenis con rimas* porque las rimas se pasan de un jugador a otro alternativamente.

- **Tenis con rimas**
  1. Dos jugadores o parejas de jugadores se turnan para decir palabras que rimen, por ejemplo «casa», «pasa», «masa» (la palabra debe acabar con el mismo sonido pero no necesariamente con la misma ortografía). El jugador más joven empieza y el juego continúa hasta que a un jugador o pareja no se le ocurre una palabra que rime. No se puede repetir una palabra en la misma ronda. El jugador que dice la última palabra que rima es el ganador.
  2. El jugador o equipo que pierde empieza la siguiente ronda.
  3. Cualquier disputa sobre si una palabra rima o no se puede solucionar con un diccionario o con alguien que sea un árbitro.

Las medias rimas (palabras que casi riman como «sofá» y «almorzar») no valen. Tampoco las rimas visuales (palabras que terminan con la misma letra pero suenan diferente, como «locomotora» y «cotorra»).

- **Rimas con pareados**
  En este juego los jugadores dicen un verso y el resto añade otro verso que termine con una palabra que rime. Dos líneas que riman se llaman pareado con la forma AABB.
  1. El primer jugador se inventa el primer verso del pareado, como: «Había una vez una niña que nunca iba a la escuela».
  2. El siguiente debe pensar un verso que rime, por ejemplo: «Era muy lista pero era muy locuela».
  3. El primer jugador crea la siguiente línea, por ejemplo: «Un día a la profesora hizo enfadar». Las líneas pueden ser estúpidas pero deben tener algún tipo de significado, por ejemplo el siguiente jugador dice: «Cuando dijo a los demás que parecía un calamar».

Después prueba otros modelos de rima como rimar líneas alternativas (ABAB).

Habilidades clave: fluidez verbal y aptitudes lingüísticas (conciencia de los patrones de sonido o fonemas).

70. Juegos para escuchar   *6-11+ años*

Dale a tu hijo cosas interesantes para escuchar y convertidlo en un juego en el que tenga que identificar sonidos misteriosos que podrían ser sonidos que haces mientras cierra los ojos, o efectos de sonido de un CD. Juega con grupos de niños a juegos para escuchar como éstos:

• **Voces misteriosas**

Los jugadores se turnan para identificar a personas por el sonido de sus voces. El juego hace que los jugadores experimenten con el sonido de su voz y requiere que escuchen atentamente.

1. El primer jugador se coloca de cara a la pared, con los ojos cerrados y no debe darse la vuelta.
2. Se escoge un jugador (o un voluntario) para ser la «voz misteriosa». Se sitúa bien alejado del primer jugador, y a la señal saluda al primer jugador con una voz distorsionada, diciendo por ejemplo: «Hola Julie».
3. El primer jugador adivina a quién pertenece la voz misteriosa. Puede pedir a la «voz misteriosa» que repita lo que ha dicho otra vez. El jugador sólo puede dar una respuesta.
4. Si lo acierta, gana. Si no, el jugador de la voz misteriosa gana.

Cada jugador tiene su turno, si quieren, para ser la voz misteriosa. Anímalos a hacer voces extrañas. Déjales practicar sus «voces misteriosas» durante unos minutos antes de que empiece el juego.

• **Susurros chinos**

Este juego necesita varios jugadores, que se sienten en círculo.

1. El primer jugador piensa en un mensaje y se lo susurra al siguiente jugador.
2. El segundo jugador se lo susurra al tercero, que se lo susurra al siguiente jugador y así sucesivamente alrededor del círculo hasta que regresa al primer jugador.
3. El primer jugador dice entonces en qué se ha convertido el mensaje y cómo era cuando empezó.

El grupo gana si el mensaje es el mismo al final que al principio. ¡Las versiones pueden acabar siendo muy distintas!

Habilidades clave: aptitudes auditivas, lenguaje y concentración.

71. Sólo un minuto   *7 años-adulto*

Los jugadores sólo pueden hablar continuamente durante un minuto sobre un tema. Puede jugar cualquier número de jugadores. A continuación se dan dos versiones, una versión más simple para niños de siete a nueve años, y una versión más difícil para niños de nueve años y mayores.

*   **Sólo un minuto (versión fácil)**
    En la versión sencilla del juego los jugadores deben hablar durante un minuto sin repetir la misma frase que hayan usado antes.
    1. Un jugador, al que se le ha dado un tema del que hablar, intenta hablar durante un minuto sobre este tema sin repetirse, quedarse en blanco o rendirse.
    2. Un árbitro controla el tiempo.
    3. El jugador gana si consigue hablar durante un minuto o más.

Con algunos niños, una vez que empiezan a hablar es difícil conseguir que paren. Otros puede que tengan que luchar con temas difíciles. Empieza escogiendo temas que tu hijo conozca bien. Si a tu hijo le parece difícil hablar durante un minuto, prueba con medio minuto.

*   **Sólo un minuto (versión difícil)**
    En esta versión los jugadores deben hablar durante un minuto sobre un tema que les han propuesto sin vacilar, desviarse del tema o repetir sustantivos, verbos o adjetivos. Dales tiempo a los niños para pensar el tema y prepararlo.

Otra versión es dar un discurso de cinco minutos sobre un tema escogido, o usar un teléfono móvil.

- Charla por el móvil

  Los jugadores se turnan para hablar por un teléfono móvil con una persona imaginaria que les ha llamado. Deben hablar durante un minuto (como en las versiones anteriores) y después pasar el teléfono al siguiente jugador diciéndole que tiene una llamada. Los jugadores ganan si pueden seguir hablando durante un minuto (sin excesiva vacilación o repetición).

Habilidades clave: lenguaje, pensamiento rápido y pensamiento creativo.

72. Juegos con nombres

Estos juegos de preguntas y respuestas con nombres son ideales para viajar en coche.

- El juego de los nombres alfabéticos

  Tú haces las preguntas y tus hijos deben pensar en cosas que empiecen con la misma letra o sonido. Cada ronda se juega con palabras que empiecen con la siguiente letra del abecedario, empezando con la «a». Por ejemplo:

  P: «¿Cómo te llamas?».
  R: «Me llamo Ángel».
  P: «¿Dónde vives?».
  R: «Vivo en Alemania».
  P: «¿Qué comes?».
  R: «Como almendras».

  Otras preguntas podrían ser: «¿Cuál es tu animal favorito?», «¿Qué te gusta beber?», «¿Qué te gusta ponerte?», «¿Cuál es tu juego favorito?», «¿Cuál es tu profesión?», etcétera. Varía el juego con otros nombres, por ejemplo: «Me llamo Bruno». «¿Dónde vives?», «Vivo en Bélgica» y demás.

- **Viaje alfabético**

  Cada jugador le hace al siguiente tres preguntas:

  «¿Quién eres?».

  «¿Dónde vas?».

  «¿Qué harás allí?».

Las respuestas deben incluir el nombre de una persona, un lugar y una descripción de una actividad. Por ejemplo: «Patricia», «Panamá» y «Plantar perales perfectos». Cada palabra en las respuestas debe empezar con la misma letra. Las respuestas del primer jugador empiezan por «A», las del siguiente por «B» y así sucesivamente siguiendo el alfabeto. Dale tiempo a tu hijo para pensar antes de contestar.

Habilidades clave: lenguaje (vocabulario y alfabeto) y pensamiento creativo.

73. Juegos con cuentos   *6-11+ años*

Los juegos con cuentos ayudan a desarrollar las aptitudes lingüísticas, la capacidad oral y el pensamiento rápido. No hay límite de jugadores.

- **Historia encadenada**

  Para crear una historia encadenada cada jugador debe continuar la historia por turnos, pero puede parar en el punto que elija.

  1. Los jugadores se sientan cara a cara. Se escoge un jugador o voluntario para empezar la historia.
  2. El narrador (que podría ser un adulto o un niño) puede parar en cualquier momento, incluso a mitad de frase y el siguiente jugador debe continuar la historia a partir de ahí.
  3. Este jugador para en cualquier momento y el siguiente continúa la historia y así sucesivamente.
  4. Los jugadores que hacen pausas demasiado largas o que no pueden seguir quedan eliminados.

El juego continúa hasta que la historia termina o todos están demasiado cansados para continuar. Algunas variantes del juego consisten en que cada jugador añada sólo una frase a la historia cada turno, que cada jugador deba terminar a media frase y que el narrador escoja al siguiente para continuar pasándole una pelota, una concha u otra ficha.

- **Historia con fotos**
  Para este juego necesitarás unas fotos, por ejemplo páginas recortadas de revistas a color. Se puede jugar individualmente o en parejas.
  1. El primer jugador (o pareja) escoge una foto.
  2. Miran la foto y se inventan una historia sobre ella, refiriéndose a alguno de los elementos visuales.

Una variante del juego es escoger dos fotos e inventarse una historia que una ambas fotos o escoger tres o más fotos que ilustren episodios de la misma historia. Pídele a tu hijo que piense sobre lo que puede haber pasado antes, durante y después de lo que se ve en la foto.

- **Secuencias**
  Recorta unas seis fotos de una historia de un libro o un cómic. Mézclalas y comprueba si tu hijo puede ponerlas en orden e inventarse una historia a partir de ellas. No importa si las pone en el mismo orden que en el libro o el cómic, ya que el objetivo es crear historias imaginativas con un principio, nudo y desenlace.

Habilidades clave: lenguaje, aptitudes visuales y pensamiento creativo.

74. Laberintos   *6-11+ años*

Perderse en un laberinto e intentar encontrar el camino de la salida es muy divertido. Visita un laberinto que haya en tu zona y comparte con tu hijo la famosa historia del laberinto de Teseo y el monstruo llamado el Minotauro. Enséñale a tu hijo libros de laberintos para verlos juntos.

- **Dibuja un laberinto**
  Inventa tu propio laberinto y haz que tu hijo dibuje uno.
  1. Mira algunos dibujos de laberintos y encuentra tus favoritos.

2. Dibuja tu propio laberinto para que tu hijo intente encontrar la salida. Si te parece difícil, copia y adapta un dibujo de un laberinto ya existente. Tu hijo probablemente estará más interesado en un laberinto que hayas dibujado tú que en uno del libro.

3. Anima a tu hijo a intentar dibujar sus propios laberintos para que tú o sus amigos encontréis la salida.

- **Laberinto de palabras**
  Un laberinto de palabras es un laberinto hecho con una palabra a través de la que tu hijo debe encontrar tantas rutas como sea posible. Para ello necesitarás un bolígrafo o un lápiz y un papel.

1. Dibuja la siguiente palabra y enséñasela a tu hijo.

Figura 9.

2. Pídele a tu hijo que trace la palabra «manzana» en tantas rutas como sea posible a través del laberinto de arriba abajo, hacia atrás, hacia delante o en diagonal, pero con el lápiz siempre tocando el papel y sin salirse de los cuadros.

Prueba a inventar tus propios laberintos de palabras. *Véase también Topológico* en la página 164.

Habilidades clave: aptitudes visuales, espaciales y topográficas.

75. Juegos con mapas *6-11+ años*

Todos conocemos la famosa pregunta que surge cuando vamos en coche: «¿Ya hemos llegado?».

Aquí tienes algunos juegos para jugar antes de que salgáis con objeto de ayudar a desarrollar las aptitudes geográficas, matemáticas y la lectura de mapas de tu hijo.

Introduce los mapas mediante un juego de localizar lugares en un mapa sencillo, por ejemplo pídele que encuentre una calle o una ciudad en concreto. Cuando pueda hacerlo pregúntale: «¿Por qué pueblos paso para ir de X a Y?». Recuerda darle pistas para ayudarle.

Dibuja un mapa del barrio que muestre calles conocidas. Haz que te ayude a añadir detalles. Comprueba si puede salir y encontrar una casa que hayas marcado en el mapa.

Pídele a tu hijo que haga una estimación de la distancia que hay de un lugar a otro. Empieza haciéndole calcular distancias desde casa. Es ideal si son dos los niños, para ver quién se ha acercado más. Anima a tu hijo a calcular, a pensar qué distancia puede haber en relación a una medida que ya conozca como una regla o una cinta métrica, no sólo calculando al azar. Dibuja un plano de tu casa (y del jardín si tienes) o mira el plano de una inmobiliaria. Esconde un «tesoro» secreto para que tu hijo lo encuentre dándole pistas o un mapa.

Si estáis planeando un viaje jugad a *¿A qué distancia?*

- **¿A qué distancia?**
  1. Enséñale a tu hijo un mapa que muestre dónde estáis y dónde está vuestro destino. Mirad distancias similares entre lugares en un mapa y la escala a la que está. Explica la diferencia entre la distancia «en línea recta» y la ruta habitualmente más larga de una carretera.
  2. Cada persona en el juego estima de cuánta distancia será el trayecto.
  3. Cuando lleguéis comprobad quién se acercó más a la distancia real recorrida.

*Véase también **Juegos de cálculo** en la página 162.*

Habilidades clave: lectura de mapas, números y espacio.

76. Juegos de manos

Hay muchos juegos para los que todo lo que se necesita son las manos. Estos juegos requieren coordinación entre las manos y los ojos y la habilidad de manipular. Si os encontráis atascados en algún lugar sin nada que hacer, prueba a jugar con juegos de manos.

• **Piedra, papel, tijera**
  Éste es el tradicional juego japonés «jan-ken-pon».
  1. Cada jugador, a la señal, saca una mano rápidamente de detrás de la espalda con la forma de unas tijeras, un papel o una piedra.
  2. Los dos jugadores comparan sus manos para ver qué forma ha ganado.
  3. Las tijeras cortan, así que ganan al papel; el papel envuelve, así que gana a la piedra, y la piedra desafila, así que gana a las tijeras.

El ganador es, por supuesto, el que mejor anticipa lo que su oponente va a hacer, así que hay un poco de psicología además de valorar las probabilidades que implica el juego.

• **Atrápalo**
  Este sencillo juego pone a prueba la velocidad de reacción de tu hijo.
  1. Dile a tu hijo que se ponga de pie con los brazos extendidos hacia delante con las manos separadas unos veinte centímetros. Sostén en el aire un objeto pequeño y ligero, como una caja de cerillas, por encima de las manos de tu hijo.
  2. Dile que el objetivo del juego es que atrape la caja (o el objeto).
  3. Espera un rato para crear tensión, y entonces suéltalo sin avisar.

La mayoría de los niños intentan juntar las manos para atrapar el objeto y fallan, pero puede que descubran un modo mejor de atraparlo...

• **La taba**
  La taba se jugaba en la antigua Grecia con huesos de codillo. Podéis usar cinco piedras pequeñas para hacer de «tabas». El objetivo es lanzar una al aire y coger otra antes de atraparla. Cuando se consiga

esto prueba a coger dos o más, o muévete alrededor de otros antes de atraparla. Prueba a inventar movimientos cada vez más difíciles.

Invéntate tus propias versiones de estos juegos.

Habilidades clave: coordinación de las manos y los ojos, manipulación y anticipación.

77. Consigue un número   *7 años-adulto*

El objetivo de estos juegos es coger cartas con números que sumen hasta un número fijado. Jugar a ellos ayudará a desarrollar la comprensión de los números y se necesita el pensamiento estratégico.

- **Consigue quince**
  Para este juego necesitarás una fila de nueve casillas o cartas etiquetadas con los números del uno al nueve. El objetivo es hacer un total de quince con tres cartas numeradas.
  1. Los jugadores se turnan para escoger un número de una casilla de una línea de cartas numeradas del uno al nueve.
  2. El ganador es el jugador que coge tres cartas que sumen quince.

  Una buena ayuda puede ser repasar con tu hijo todas las maneras de sumar quince antes de empezar a jugar.

- **Consigue veinticinco**
  Para esta versión necesitas un juego de catorce cartas o casillas numeradas del dos al quince.
  1. Los jugadores se turnan para escoger un número de la fila de cartas.
  2. El ganador es el jugador que coge cartas que sumen veinticinco.

- **Consigue cien**
  Los jugadores necesitan un lápiz o un bolígrafo y papel.
  1. El primer jugador escribe un número del uno al diez en una hoja de papel.

2. El siguiente jugador escribe un número del uno al diez, y suma los dos números.
3. Los jugadores continúan escogiendo un número entre el uno y el diez, por turnos, y lo añaden al total.
4. El jugador que añade su número al total para llegar a cien es el ganador.

Intenta inventar tu propia variante del juego. Con niños más mayores investiga maneras de llegar a cien usando los dígitos del uno al nueve y símbolos matemáticos.

• **Consigue la carta**
   Usa una baraja de cartas sin las figuras (reyes, reinas y jotas).
1. Pon treinta y seis cartas boca abajo en una cuadrícula de 6 x 6. Determina el número que hay que conseguir girando dos de las cartas restantes y sumando sus números.
2. Cada jugador prueba a coger dos cartas cualesquiera que sumen el número determinado.
3. El jugador que coge más cartas gana.

Juega otras rondas usando tres y después cuatro cartas de las cartas sueltas para llegar al número determinado.
*Véase también **Batalla de números** en la página 161.*

Habilidades clave: comprensión de los números y pensamiento estratégico.

78. Cuenta atrás   *7 años-adulto*

Éste es un juego de cooperación para solucionar un problema en el que todos los jugadores intentan resolver un puzle. El objetivo es poner todos los números en una sola columna en el orden de la cuenta atrás (nueve, ocho, siete, seis, cinco, cuatro, tres, dos, uno) con el nueve en la parte de arriba y el uno en la de abajo. Para este juego necesitarás cartas con números o fichas marcadas del uno al nueve, y una tabla con tres columnas.

- **Cuenta atrás**
  1. Coloca las cartas numeradas boca abajo y mézclalas. Después escoge y coloca tres de las cartas en cada columna y dales la vuelta para revelar sus números.
  2. Los jugadores se turnan para mover una carta cada vez desde la parte de debajo de una columna hasta la de arriba de otra columna. Una carta sólo se puede colocar bajo otra carta de un número inferior, pero si una columna está vacía cualquier carta se puede colocar en cabeza.
  3. Cuando los números se han colocado en una sola columna en el orden de la cuenta atrás (nueve, ocho, siete, seis, cinco, cuatro, tres, dos, uno), el puzle se soluciona y los jugadores son los ganadores. Si no lo consiguen pierden (pero ten en cuenta que hay una manera de ganar, ¡no importa lo atascado que estés!).

Si lo consigues intenta solucionar el puzle empezando en otra posición, o invéntate tu propia variante del juego.

Habilidades clave: resolución de problemas, perseverancia y cooperación.

79. ¡Cerdo! *7 años-adulto*

¡Cerdo! es un animado juego de dados que implica números y probabilidad. Necesitarás un bolígrafo o un lápiz y papel, y uno o más dados.

- **¡Cerdo!**
  El ganador es el que llega a la puntuación, por ejemplo, cincuenta o cien.
  1. En turno los jugadores pueden tirar los dados tantas veces como quieran hasta que decidan parar. Cada vez que uno tira va sumando el valor de los dados a su puntuación, pero si sale un uno termina el turno de ese jugador y pierde toda la puntuación de ese turno. Los otros jugadores pueden gritar entonces: «¡cerdo!».
  2. Los jugadores se turnan para tirar los dados y añadir los puntos que consigan a su total. Si sale un uno, por supuesto, no añaden ningún punto a su puntuación.

3. El jugador que primero llegue a la puntuación es el ganador.

   El jugador que empieza tiene una ventaja. Una manera de equilibrarla es que los jugadores tengan el mismo número de turnos. La forma más justa de jugar es organizarlo para que cada jugador pueda ser el primero en empezar, o puede que decidas que empiece el más joven (para otras maneras de escoger quién empieza *véase* página 16).

Varía las normas para inventar tu propio juego de dados.

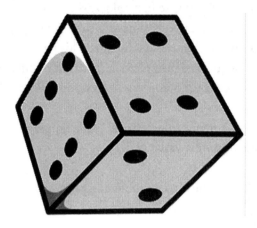

Figura 10.

Discute con tu hijo la probabilidad de sacar un uno con el dado (las probabilidades son 6-1). Explica que salga el número que salga las probabilidades siempre son 6-1. Experimenta para ver si puedes demostrar esto en una gran cantidad de jugadas.

Habilidades clave: comprensión numérica y probabilidad.

80. Carreras   *6 años-adulto*

Muchos juegos de mesa tradicionales como *Serpientes, La escalera* y *Parchís* consisten en una carrera. Prueba a inventar tus propios juegos de carreras, como los siguientes:

- **El juego del gato y el ratón**

   Para este juego necesitas un dado, dos fichas y un papel o cartulina grande. En la cartulina dibuja un circuito de veinte casillas de largo en cualquier forma que te guste (marca la casilla 20 como el agujero del ratón). Recorta un gato y un ratón de cartulina (o usa dos fichas que representen al gato y al ratón). El objetivo del juego es intentar predecir si el gato atrapará al ratón antes de que se escape por el agujero.

   1. Empieza colocando el gato en la casilla uno, y el ratón en la diez.
   2. Antes de jugar dile a tu hijo que prediga lo que cree que pasará: «¿Crees que el gato atrapará al ratón o se escapará?».
   3. Los jugadores se turnan para mover al gato o al ratón según el número que salga en el dado. Si sale un uno, un dos, un tres o un cuatro, el ratón se mueve ese número de casillas hacia el agujero. Si sale un cinco o un seis, se mueve el gato ese número hacia el ratón.
   4. Si el ratón llega a la casilla 20 o más allá, se escapa por su agujero. Si el gato alcanza la misma casilla que el ratón, o más allá, el ratón es cazado y pierde la carrera.
   5. Cuando la carrera ha terminado, el jugador o jugadores que predijeron el resultado correctamente ganan el juego.

Intenta variar las normas cambiando las distancias que el gato y el ratón se deben mover, o los números del dado que les permiten moverse. La siguiente es otra versión del juego:

- **La tortuga y la liebre**

   Dibuja un recorrido de veinte casillas. La tortuga y la liebre pueden representarse con formas de cartulina o con dos objetos. Empiezan una al lado de la otra y deben llegar a la casilla 20 para ganar. La tortuga se mueve si sale un uno, un dos, un tres o un cuatro. La liebre se mueve si sale un cinco o un seis. ¿Puedes predecir quién ganará?

Prueba a variar las normas del juego.

Habilidades clave: probabilidad, experimentación y predicción.

81. Juegos de estrategia

Los juegos de estrategia animan a tu hijo a usar la lógica y el pensamiento estratégico, que incluyen pensar con antelación y predecir. Estos juegos requieren un grupo de pequeños objetos como fichas, monedas o palillos, además de un bolígrafo o un lápiz y papel. Cualquier número de personas puede jugar individualmente o en parejas.

*   **Coge el último**
    El ganador de este juego es el que coge la última ficha de la mesa.
    1. Coloca un montón de objetos pequeños en una superficie plana. Decide un número máximo que se pueda coger cada vez, por ejemplo, diez. Decide quién empieza.
    2. El primer jugador coge cualquier número de objetos del montón hasta el límite acordado.
    3. Los jugadores se turnan para coger objetos del montón (desde uno hasta el número máximo).
    4. El jugador que coge los últimos objetos es el ganador.

Juega a variantes de este juego, por ejemplo haz que el jugador que coge el último objeto sea el perdedor, o jugad con diferentes números de objetos que coger del montón. Aquí tienes otra variante:

*   **¡Veneno!**
    Necesitas diez objetos como fichas, monedas o palillos, o lápiz y papel.
    1. Coloca las fichas en fila (o dibújalas en un papel). Los jugadores pueden coger una o dos fichas de cualquier lugar de la fila. La última ficha que queda es «veneno» y el jugador que se la queda pierde.
    2. El primer jugador coge una o dos fichas de cualquier lugar de la fila.
    3. El segundo jugador hace lo mismo y los jugadores se turnan para coger una o dos fichas.
    4. El jugador que se queda con la última ficha (el «veneno») pierde.

Dale a tu hijo pistas sobre la mejor estrategia diciéndole: «Si dejas una para el otro jugador ganas. ¿Quién gana si dejas dos/tres/cuatro, etcétera?». Pista: la persona que deja cuatro o siete debería ganar cada vez. Prueba a jugar algunas variantes de este juego, por ejemplo usando veinte fichas o sólo cogiendo una o dos que estén una al lado de otra. *Véase también Nim* en la página 165.

Habilidades clave: lógica, pensamiento estratégico, resolución de problemas, planificación y predicción.

82. Achi

Achi es un sencillo juego de mesa para dos jugadores, popular en países del oeste de África, sobre todo en Ghana. Se puede dibujar un tablero fácilmente en una hoja de papel o una cartulina, o se puede grabar en la arena de la playa usando piedrecitas como fichas. Necesitarás un tablero, cuatro fichas blancas y cuatro fichas negras, o de otros colores (*véase* Figura 11).

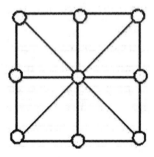

Figura 11.

- **Achi**

  El objetivo del juego es ser el primero en colocar tres fichas en fila.
  1. Los jugadores se turnan para colocar una ficha en cualquiera de los nueve puntos del tablero. Deben intentar colocar tres de sus fichas en una fila (vertical, horizontal o diagonal) mientras evitan que el otro jugador haga lo mismo.
  2. Una vez que las ocho fichas están sobre el tablero (si ningún jugador tiene tres en una fila) debería quedar un solo punto libre.

123

3. Los jugadores se turnan para mover una de sus fichas un lugar hacia el siguiente punto libre de una línea. El juego continúa hasta que un jugador gana colocando tres fichas en una fila.

Habilidades clave: estrategia, planificación y resolución de problemas.

83. Tres en raya
7 años-adulto

Éste es uno de los juegos de mesa más antiguos del mundo. Lo jugaban los antiguos egipcios, los soldados romanos y los vikingos, y era popular en la época medieval. El tablero consta de tres cuadrados cuyos lados están conectados por líneas, como en el diagrama que aparece abajo. Tras jugar a *Tres en raya* con tu hijo (*véase* página 88), pasa a jugar a estas dos versiones del sencillo juego de estrategia.

* **Tres en raya**
  Se juega con dos jugadores con cuatro fichas cada uno (de diferentes colores). Si un jugador consigue colocar tres en línea tanto en horizontal como vertical, gana.
  1. Los jugadores se turnan para colocar sus fichas de una en una en cualquier intersección (donde dos o más líneas se encuentran) en el tablero. Sólo se permite una ficha en cualquier intersección. Cada jugador debe evitar que el otro coloque una fila de tres.
  2. Una vez que han colocado sus cuatro fichas en el tablero, se turnan para mover sus fichas para intentar hacer tres en línea tanto en horizontal como en vertical. El primer jugador que lo consigue gana.

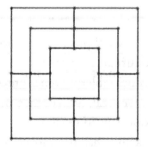

Figura 12.

- **Nueve hombres de Morris**

Usando el mismo tablero, de nuevo el objetivo es colocar tres fichas en una línea.

1. Cada jugador tiene nueve fichas o monedas que colocan por turnos en cualquiera de las veinticuatro intersecciones del tablero.
2. Después de haber colocado todas las fichas, si no hay tres en línea, los jugadores se turnan para mover una ficha por turno para intentar hacer tres en raya.
3. Cuando se forma una línea de tres, tanto horizontal como vertical, el jugador puede quitar una de las fichas del otro jugador.
4. Cada vez que se forma una nueva línea de tres, el jugador quita una de las fichas del otro jugador. Cuando a un jugador no le quedan más fichas o se rinde, pierde.

Doce hombres de Morris (también llamado *Marbaraba* en Sudáfrica) se juega en un tablero en el que se añaden cuatro líneas diagonales. El juego comercial *Conecta cuatro* es una versión moderna del juego antiguo. *Véase también Achi* (página 123) y **Go-muku** (página 168).

Habilidades clave: lógica, pensamiento estratégico, resolución de problemas, planificación y predicción.

84. Juegos para dibujar *6 años-adulto*

Estos sencillos juegos para dibujar pueden ser desafiantes y divertidos para todas las edades.

- **Hacer garabatos**

Hacer garabatos consiste en empezar un dibujo con una forma o un garabato pequeño y extenderlo a tu manera. Puede jugar cualquier número de personas, para divertirse o para competir. Cada jugador necesita algo con lo que dibujar y sobre lo que dibujar.

1. Una persona dibuja un garabato (una forma, una línea o curva pequeña) en medio del papel de cada jugador.

2. Los jugadores tienen tiempo para pensar en qué pueden convertir sus garabatos y se les da un límite de tiempo, de dos a cinco minutos, para realizar su dibujo.

3. Cuando los jugadores han terminado o el tiempo se acaba, se enseñan los dibujos (o se juzgan por alguien que no sepa quién es el autor de cada dibujo).

4. El ganador u otro jugador dibuja el siguiente garabato.

Garabatos casi idénticos se pueden convertir en dibujos increíblemente diferentes al final. Varía el juego escogiendo un género distinto para cada ronda o garabato, como el retrato, paisaje marítimo, paisaje de montaña, motivos abstractos, cielos, naturaleza muerta, etcétera. ¡Deja que utilicen rotuladores o lápices de colores para añadir creatividad a sus obras!

- **Dibujo con círculos**

  El objetivo es crear tantos dibujos diferentes como sea posible a partir de un círculo.

  1. Prepara una página de círculos (de unos cinco centímetros de diámetro) usando, por ejemplo, la tapa de un tarro como plantilla.

  2. Los jugadores intentan dibujar tantas cosas como sea posible en un límite de tiempo usando cada círculo, por ejemplo una cara, un sol, un reloj, etcétera.

  3. Cuando se acaba el tiempo, los jugadores suman un punto por cada dibujo y dos puntos por cada dibujo que nadie más haya dibujado.

  Intenta jugar usando diferentes formas, por ejemplo triángulos, cuadrados, óvalos, etcétera.

- **Personaje divertido**

  1. Cada jugador tiene una hoja de papel y dibuja la mitad superior de una persona, animal o monstruo divertido, sin mostrarlo al resto de jugadores.

  2. Cuando los jugadores han terminado doblan el papel para que sólo se vea la parte inferior del dibujo.

  3. Los jugadores intercambian sus dibujos doblados y después completan el dibujo que les han dado dibujando la mitad inferior de la persona, animal o monstruo divertido.

4. Cuando los dibujos ocultos están terminados los jugadores desdo-
    blan y revelan sus dibujos.

Para más juegos para dibujar *véase* la página 169.

Habilidades clave: manipulación, creatividad y pensamiento visual.

85. Juegos de cartas   *6 años-adultos*

Guerra y *¡Tramposo!* son juegos de cartas ideales para niños pequeños.
Véase también ¡Burro! (página 79).

*   **Guerra**
    Empieza mostrando el orden de las cartas colocando un palo en el
    orden correcto: 2-3-4-5-6-7-8-9-10-J-Q-K-As. Cuando tu hijo sepa
    esto, estará preparado para jugar.
    1. Reparte las cartas boca abajo entre dos jugadores y ponlas delante de
        ellos. Los jugadores no las miran. ¡Ahora están listos para la guerra!
    2. Ambos jugadores le dan la vuelta a la primera carta de su pila y la
        colocan en medio de la mesa.
    3. La carta más alta gana. El as es la más alta y el palo no importa.
    4. Si las cartas son del mismo valor, juegan otra vez y la carta más
        alta gana las cuatro cartas.

El ganador es el jugador que gana todas o la mayoría de cartas.

Cartas colocadas en orden

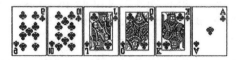

Figura 13a.

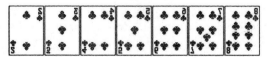

Figura 13b.

- **¡Tramposo!**

  Éste es un juego sencillo que ofrece muchas posibilidades de lanzar un farol, hacer trampas e intentar leer la mente de los demás. Pueden jugar dos personas o más (cuantos más jugadores, más diversión).

  1. Se reparte una baraja de cartas entre los jugadores, que se ocultan las cartas unos a otros.

  2. El primer jugador coloca una carta boca abajo en la mesa y dice qué valor tiene, por ejemplo «cuatro». Los jugadores, sin embargo, no tiene por qué decir la verdad (puede ser un «diez» o cualquier otra carta).

  3. El siguiente jugador debe ahora colocar boca abajo una o más cartas que tengan o bien el mismo valor, por ejemplo cuatro, o un valor mayor, por ejemplo cinco o bien uno menor, por ejemplo tres. El jugador podría decir: «un cuatro», «dos cincos», «tres treses». Si no tienen cartas para jugar deben marcarse un farol y jugar cualquier carta (o cartas) pretendiendo que son cuatros, cincos o treses.

  4. Los jugadores se turnan para colocar sus cartas hasta que un jugador sospecha que otro está lanzando un farol y no coloca las cartas que dice. El jugador entonces grita: «¡Tramposo!». Si el jugador anterior ha hecho trampas y las cartas no son las que decía, el tramposo debe coger todas las cartas. Si el jugador ha dicho la verdad, el jugador que ha dicho «tramposo» debe recoger todas las cartas.

  5. El jugador que coge las cartas vuelve a empezar el juego.

  6. El jugador que se queda sin cartas es el ganador.

Otros juegos de cartas ideales para niños pequeños son *La guerrilla* y *Ochos*. Para más juegos de cartas *véase* página 170.

Habilidades clave: orden de las cartas (en *Guerra*), pensamiento estratégico, predicción y leer la mente (en *¡Tramposo!*).

86. Juegos de mesa

Todos los juegos de mesa desafían a los niños a seguir normas, a colaborar en el juego y a saber ganar o perder. Algunos son cuestión de suerte como *Serpientes* y *La escalera*, otros implican pensar estratégicamente como las *Damas* y los siguientes juegos.

*   **Madelinette**
    Juegan dos personas en un tablero y tienen tres fichas de diferente color o dos tipos de monedas cada uno.
    1. Dibuja el tablero (*véase* Figura 14) y coloca las seis fichas en los puntos que se muestran, dejando el punto del medio libre. Decide quién empieza.
    2. Cada jugador se turna para deslizar una de sus fichas hacia un punto libre del tablero, con el objetivo de bloquear las fichas del otro jugador para que no las pueda mover.
    3. El jugador cuyas fichas sean bloqueadas y no las pueda mover pierde.

Dile a tu hijo que piense dónde necesitaría colocar sus fichas para bloquear las tuyas.

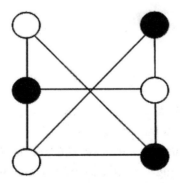

Figura 14.

Habilidades clave: pensamiento estratégico y conciencia del espacio.

87. Autos de choque

Tres en raya acostumbra a ser el primer juego de estrategia sencillo con lápiz y papel que los niños aprenden. Sin embargo, *Autos de choque* es un juego de estrategia más interesante para dos jugadores que se puede jugar tanto usando círculos y cruces, como otro tipo de marcadores interesantes.

- **Autos de choque**

   Se juega en un tablero de 3 x 3 (*véase* Figura 15). Cada jugador tiene dos fichas, monedas o juguetes pequeños como dinosaurios o coches. Las fichas de cada jugador son de colores distintos, aquí las llamaremos blancas y negras. El tablero se coloca como en la figura.

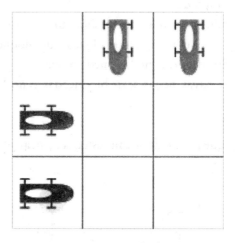

Figura 15. Autos de choque.

En cada turno los jugadores pueden mover una de sus fichas a una casilla vacía a la izquierda, derecha o hacia delante. El objetivo del juego es mover tus fichas hacia el lado contrario y salir del tablero y evitar que el otro jugador haga lo mismo. Sin embargo, los jugadores no pueden bloquear las fichas del otro, o perderían. Siempre deben dejar una casilla para que el otro jugador mueva su ficha.

1. Las blancas mueven primero y los jugadores se turnan para mover una ficha hacia una casilla vacía.
2. El jugador que consigue que sus dos coches salgan del tablero por el lado opuesto gana.

Prueba a jugar en un tablero de 4 x 4 o de 5 x 5 (siempre recordando dejar una casilla vacía en la esquina inferior izquierda.

Habilidades clave: pensamiento estratégico y planificación con antelación.

88. Juegos con puntos

Son unos sencillos juegos de papel y lápiz que motivan el pensamiento estratégico.

Empieza dibujando un campo de juego de dieciséis puntos, cuatro en cada dirección (*véase* Figura 16).

- **Unir**
  Turnaos para unir dos puntos cualesquiera que estén uno junto al otro, en horizontal o vertical. Un punto se puede unir sólo con otro punto. El ganador es el que hace la última unión.

- **Arriba a la derecha**
  Empezando en el punto de la esquina inferior izquierda, turnaos para unir un punto con una línea recta tan larga como queráis con otro punto a su derecha o encima de él. Cada jugador dibuja por turnos una línea tanto a la derecha como hacia arriba. El ganador es quien aterriza en el punto de la esquina superior derecha.

- **Cualquier camino**
  Turnaos para unir dos puntos cualesquiera con una línea (horizontal, vertical o diagonal). Una línea nunca debe cruzar a otra o cerrar una forma. Tu línea debe dibujarse desde cualquier extremo de una línea ya dibujada en líneas rectas solamente. El ganador es quien dibuja la última línea.

- **Cuadrado**
  Un jugador marca cruces, el otro usa círculos. Turnaos para marcar cualquier punto con una cruz (o un círculo). El ganador es el jugador que pueda marcar cuatro puntos que formarían un cuadrado (si

se conectaran). El ganador conecta sus puntos para hacer un cuadrado.

Una vez hayáis jugado a estos juegos prueba a añadir más puntos e inventa tus propias normas.

Para más juegos con puntos *véase* páginas 82 y 83.

Figura 16. Juegos con puntos.

Habilidades clave: pensamiento estratégico y aptitudes topológicas.

89. Trabalenguas   *6 años-adultos*

Los trabalenguas son muy divertidos y proporcionan a tu hijo una buena práctica para hablar y pensar rápido además de desarrollar vocablos nuevos.

- **Trabalenguas**
  Enséñale a tu hijo algunos de los trabalenguas más populares, pero hazlo sólo de uno en uno para que tenga tiempo de practicar y tal vez discutir el significado de las palabras.

  Mi mamá me mima.
  ¡Botijón, desembotijónate!
  Niña ñoña añoñada, añoñado niño ñoño.
  Cuando cuentes cuentos cuenta cuántos cuentos cuentas.
  Como poco coco como poco coco compro.

Pablito clavó un clavito, ¿qué clavito clavó Pablito?

El cielo está enladrillado, ¿quién lo desenladrillará? El desenladrillador que lo desenladrille buen desenladrillador será.

Hay tontos que tontos nacen y tontos que tontos son, y tontos que tontos hacen a los que tontos no son. Pero no es que seas tonto, es que son tantos que te atontan tanto que te vuelven tonto.

Tres tristes tigres tragan trigo en un trigal.

Poco Pico come poco. ¿Cómo come Poco Pico? Poco Pico poco come porque poco pico tiene.

Doña Trico Tricotosa tricotaba sin parar, con su triqui, triqui, traque, con su triqui, triqui, tran. Tricotaba Tricotosa, tricotaba sin parar.

Si le echa leche al café para hacer café con leche, para hacer leche con café, ¿qué hace falta que le eche?

Yo lloro si lloras, si lloras yo lloro. Tu llanto es mi llanto, tu llanto es mi lloro. Si tú ya no lloras, tampoco yo lloro.

Como quieres que te quiera si el que quiero que me quiera no me quiere como quiero que me quiera.

Inventa tus propios trabalenguas juntando palabras que empiecen por la misma letra. ¡Reta a tu hijo a inventar sus propios trabalenguas para ponerte a prueba!

Habilidades clave: aptitudes verbales y pensamiento.

90. Juegos de dominó   *6 años-adulto*

El dominó empezó en la antigua China, donde marcaban los puntos negros en huesos y baldosas y jugaban con ellas. Más tarde se convirtió en el dominó. Un juego tradicional de dominó tiene veintiocho fichas hechas de madera o de plástico, con puntos en cada mitad, que van de cero (blanco) hasta seis puntos en cada mitad (doble seis).

Los niños pequeños suelen empezar intentando construir, equilibrar y derribar las fichas. Jugar a juegos de dominó le ayudará a aprender a combinar números y a agrupar cosas según su modelo o su forma.

- **Solitario de dominó**

Éste es un gran juego para enseñar a tu hijo cómo jugar al dominó.

1. Coloca todas las fichas boca abajo y mézclalas.
2. Escoge cinco fichas, dales la vuelta y coloca una en medio de la mesa.
3. Comprueba si alguna de las otras tiene el mismo número de puntos que la que acabas de jugar. Si es así únelas por los números que coinciden, por ejemplo, tres puntos junto a tres puntos (*véase* Figura 17). Por cada una de las cinco fichas que juegues coge otra para sustituirla de entre el resto de fichas.
4. Intenta unir tantas como puedas encadenar, siempre manteniendo sólo cinco fichas boca arriba.
5. Sigue jugando hasta que hayas usado todas las fichas o no puedas continuar. Ganas si consigues usar todas las fichas.

Haz el juego más fácil escogiendo seis o siete fichas. Juega con dos o más jugadores dando a cada uno cinco, seis o siete fichas y jugando por turnos. El primer jugador que termine todas sus fichas gana.

- **Suma siete**

Éste es un juego para dos o más jugadores que consiste en hacer coincidir números, como en el juego anterior. Ganan puntos los jugadores que consiguen que los extremos de las fichas que unen sumen siete.

1. Las fichas están boca abajo, mezcladas y cada jugador coge siete fichas.
2. Turnaos para jugar combinando los extremos de cada ficha jugada. Añade un punto a tu puntuación si los puntos de los dos extremos suman siete.
3. El jugador que termine todas sus fichas añade a su puntuación el número de puntos que suman todas las fichas que todavía tienen los otros jugadores.

Tras varias partidas el ganador es el jugador con más puntos.

- **Treses y cincos**

  Estos juegos se juegan como los anteriores pero consigues puntos si los extremos en *Treses* suman un múltiplo de tres, es decir tres, seis, nueve o doce (tres = un punto, seis = dos puntos, nueve = tres puntos, doce = cuatro puntos).

  En *Cincos* consigues un punto si los extremos suman un múltiplo de cinco (cinco = un punto, diez = dos puntos, quince = tres puntos). Nota: es normal jugar dobles, por ejemplo un doble cinco atravesando el número que coincide (cinco) como en la figura, dejando que las últimas fichas sumen quince o incluso veinte.

Haz tus propias normas y variantes y ¡juega del modo que más os convenga a ti y a tu hijo!

Figura 17.

Habilidades clave: relacionar, estrategia y aptitudes numéricas.

4

Juegos de inteligencia para tu hijo más mayor (9 + años)

En la fase final de la infancia de tu hijo, antes de alcanzar la adolescencia, está siendo mucho más consciente de sí mismo como persona y desarrollando una capacidad de usar y entender ideas abstractas hasta que la adolescencia alcanza un nivel casi adulto. Es capaz de entender ideas complejas y de jugar a juegos abstractos como el ajedrez, aunque aún disfrutará jugando a muchos de los juegos a los que jugaba cuando era más pequeño y los juegos que disfrutan sus hermanos y hermanas pequeños. Dale a tu hijo más oportunidades de desarrollar habilidades reales como cocinar, coser y elaborar cosas. Apoya el interés de tu hijo en el mundo que le rodea. Anímale a participar en un club organizado o en un grupo juvenil. Muchos grupos motivan el desarrollo de habilidades con proyectos o actividades e introducen nuevos juegos sociales.

Recuerda también proporcionarle tiempo y espacio para que esté solo, para leer, soñar despierto o hacer las tareas del colegio sin interrupciones. Anima a tu hijo más mayor a ayudarte con niños más pequeños, pero evita cargarle con demasiadas responsabilidades de adultos. Aún necesita nutrirse de historias y con el estímulo mental de la conversación y el juego. Éstos son juegos para pensar y hablar además de jugar por diversión.

Anímale a jugar a juegos de estrategia, como las damas o el Monopoly, además de probar otros muchos juegos de inteligencia que le ayudarán a preparase para el reto de las adolescencia (*véanse* juegos 91-120). Habla con él acerca de jugar con «estrategia», es decir, pensando en un plan que pueda resultar en ser el ganador. Introdúcele en el mejor juego de estrategia, el ajedrez. Cualquiera que sea el juego de inteligencia al que juguéis, anímale a jugar con cabeza y no dejándolo en manos del azar.

Figura 18. Tablero de ajedrez.

Juegos mentales para tu hijo mayor (9+ años)

91. Conectar palabras
92. ¿En qué estoy pensando?
93. Libro de origami
94. Disparates
95. Categorías
96. Palabra veloz
97. Carrera de libros
98. Juegos de memoria
99. Consecuencias que riman
100. Juegos de preguntas
101. Juegos con lápiz y papel
102. Más juegos de memoria
103. Crucigramas

91. Conectar palabras

Se trata de hacer conexiones entre un grupo de palabras. Se puede jugar con uno o más niños. Necesitarás una pizarra o un papel para escribir y unos bolígrafos o lápices.

• **Conectar palabras**

1. Se les pide a los jugadores que sugieran palabras que les vengan a la mente. Deben ser conceptos, palabras que signifiquen algo como «árbol» o «libro», no palabras conectoras, como preposiciones (como «bajo»), conjunciones (como «y») o artículos (como «el»).

2. Escribe las palabras en la pizarra o en una hoja grande de papel para que todos lo vean. Unas diez o doce palabras es lo mejor, por ejemplo: «cabeza», «flor», «árbol», «huevo», «libro», «verano», «gente», «sueño», «fútbol», «perro» y «sombrero».

3. Los jugadores piensan en las palabras e intentan agrupar dos o tres palabras con una idea que las conecte, como «cabeza» y «sombre-

139

ro». Diles a los jugadores que expliquen exactamente cuál creen que es la conexión entre las palabras.

4. Pueden dibujar líneas para unir las palabras conectadas o hacer una lista con ellas. Seguid jugando hasta que las ideas o el interés se desvanezcan.

Amplía el juego intentando conectar tres o más palabras o creando grupos más grandes de palabras.

- **Crear historias**
  Reúne un grupo de palabras como en el juego anterior y escríbelas en una pizarra o en un papel para que todos lo vean. El reto de este juego es que cada jugador se invente una historia usando cada palabra de la lista.

Véase también **Conecta** (página 100) y *Disparates* (página 143).

Habilidades clave: pensamiento creativo, conceptual y lenguaje.

92. ¿En qué estoy pensando? *9-12 años*

Un juego para dos o más personas que no requiere nada excepto una mente despierta. Se trata de intentar «leer la mente», adivinar lo que alguien está pensando y decir cómo se conecta tu suposición con la palabra que estaba pensando para demostrar cómo tu respuesta era correcta o casi correcta.

- **¿En qué estoy pensando?**
  1. Un jugador es el «pensador» y piensa en algo que exista en el mundo.
  2. El resto de jugadores tienen que adivinar y decir por turnos qué palabra creen que está pensando el pensador.
  3. El pensador no responde hasta haber oído todas las suposiciones. Después dice en qué estaba pensando.
  4. Cada uno de los jugadores que adivinan tiene entonces que justificar su respuesta relacionándola de algún modo con lo que el

pensador estaba pensando. Por ejemplo si yo digo «flor» y el pensador estaba pensando en «cena» puedo decir: «Tengo razón porque siempre hay flores en la mesa para cenar».

La diversión y el reto del juego es pensar un modo inteligente en el que digas lo que digas tenga relación con lo que el pensador estaba pensando. Turnaos para ser el «pensador». Si jugáis en grupo el pensador decide qué jugador ha relacionado mejor su respuesta para ser el siguiente «pensador».

Este juego se puede jugar en cualquier lugar y es ideal para un viaje largo en coche.

Habilidades clave: lenguaje y razonamiento, interacción social e intuición.

93. Libro de origami   *9-12 años*

Tu hijo puede haber tenido alguna experiencia con el origami (por ejemplo, haciendo la casa de origami de la página 102). El origami es tanto una forma de arte como un modo práctico de aprender cómo hacer figuras y bonitos envoltorios.

Recuerda practicar cualquier figura de origami antes de enseñarle a tu hijo. Para hacer un libro de origami necesitarás empezar con un folio de tamaño A4.

Cuando hagas origami es buena idea tener varias hojas a mano ¡por si te equivocas!

• **Libro de origami**
Para hacer un libro de origami enséñale a tu hijo cómo doblar el papel de la siguiente manera:

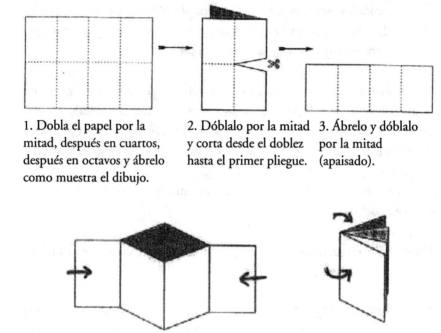

1. Dobla el papel por la mitad, después en cuartos, después en octavos y ábrelo como muestra el dibujo.

2. Dóblalo por la mitad y corta desde el doblez hasta el primer pliegue.

3. Ábrelo y dóblalo por la mitad (apaisado).

4. Empuja los extremos hacia dentro para formar un cubo.

5. Junta los extremos para aplanar el cubo, después dobla las páginas para formar un libro.

Figura 19. Pasos para hacer un libro de origami.

Asegúrate de que los dobleces son firmes y que el corte con las tijeras se hace con cuidado.

Una vez que el «libro» está hecho se puede decorar y llenar las páginas de escritos, dibujos o recortes.

Habilidades clave: destreza manipulando, creatividad y habilidad para seguir instrucciones.

94. Disparates

Disparates reta a tu hijo a pensar con creatividad. Todo lo que necesitas es un bolígrafo o un lápiz y hojas de papel.

* **Disparates**

  A cada jugador se le da tres hojas de papel, una para escribir una pregunta, la siguiente para escribir un nombre y la tercera se deja en blanco para la respuesta (alternativamente puedes preparar un grupo de papelitos con una pregunta o un nombre cada uno). El objetivo del juego es contestar a las preguntas usando el nombre como parte de la respuesta.

  1. En su primer papelito cada jugador escribe la pregunta que quiera.
  2. En el segundo escriben un sustantivo o un sintagma nominal.
  3. Los papelitos con las preguntas se ponen en una caja o un sombrero y se mezclan, y cada jugador escoge (o se le da) una pregunta.
  4. Los sustantivos se mezclan entonces y cada persona escoge uno.
  5. Los jugadores individualmente o en parejas deben inventarse un disparate para contestar la pregunta, en su tercer papelito. Su respuesta debe incluir el sustantivo que se les ha dado.
  6. Las preguntas y las respuestas se leen en voz alta y el que haya pensado una respuesta usando el nombre que le ha tocado y que tenga algún tipo de sentido ¡es el ganador!

Por ejemplo, la pregunta en el papel era: «¿Por qué los ratones comen queso?» y el nombre que se había escogido era «tristeza». La respuesta que un niño escribió fue: «A los ratones les gusta comer queso porque si no lo hicieran tendrían hambre ¡y eso les provocaría tristeza!».

Habilidades clave: lenguaje, pensamiento creativo y razonamiento verbal.

95. Categorías *9-12 años*

En este juego se intenta escribir tantas palabras como sea posible de las categorías que se dan. Puede jugar cualquier número de personas, aunque los niños suelen preferir jugar en parejas o equipos. Se puede jugar oralmente o con papel y lápiz.

- **Categorías**
    1. Los jugadores empiezan escogiendo una letra. (Escoge una letra, por ejemplo, pidiendo a tu hijo que pase la página de un libro y señale una palabra a ciegas).
    2. Los jugadores escogen una categoría de cosas, por ejemplo, animales, alimentos, colores, nombres de chico, nombres de chica, nombres de lugares, títulos de libros, programas de televisión y demás.
    3. La letra escogida es por la que debe empezar cada palabra de cada categoría.
    4. Los jugadores intentan pensar tantas palabras como sea posible de esa categoría que empiecen con la letra escogida. Por ejemplo, si la letra era la «b» y la categoría «comida», la lista podría incluir bananas, bollo o bizcocho. Si se juega con lápiz y papel hay que anotar las palabras.
    5. Cuando el tiempo se acaba o a nadie se le ocurren más palabras, el juego termina.

En la versión escrita los jugadores suman un punto por cada palabra y dos puntos por cada palabra que no hayan pensado los demás. En cada ronda se escoge una nueva letra. Se puede usar la misma categoría o escoger una nueva. Una variante de este juego es el llamado *Guggenheim*.

- **Guggenheim**
    1. Los jugadores escriben una lista de categorías en un lado de la página.
    2. Escogen un nombre y escriben las letras de ese nombre horizontalmente en la parte superior.
    3. Debajo de cada letra los jugadores deben encontrar una palabra para cada categoría en un límite de tiempo.

4. El primer jugador que lo consigue gana.

L   A   U   R   A

Animales
Ropa
Bebidas
Países

Habilidades clave: pensamiento rápido, vocabulario y fluidez verbal.

96. Palabra veloz   *9-12 años*

El objetivo del juego es definir un grupo de palabras en un tiempo determinado. El juego ayudará a desarrollar la capacidad de tu hijo para definir
palabras y pensar con rapidez. Lo ideal son tres o cinco jugadores, dos
para jugar (o dos equipos de dos jugadores) y uno que controle el tiempo.

Para jugar necesitaréis preparar una o más listas de diez o quince
palabras que denoten objetos comunes, por ejemplo: flor, árbol, reloj,
tren, luz, caballo, naranja, autobús, mermelada, pescado, manzana, playa,
verano, camello y payaso. El controlador del tiempo necesita un reloj con
un segundero.

* **Palabra veloz**
  El juego consiste en que un jugador defina una palabra sin decir cuál
  es y el otro jugador intenta adivinar la palabra a partir de la definición
  que le han dado. Por ejemplo si la definición es: «Es amarillo, largo,
  tiene forma curvada y te lo puedes comer», la palabra correcta probablemente sería «banana».
  1. Un jugador (o uno en cada equipo) recibe una lista de palabras
     que no debe enseñar a su compañero.
  2. Cuando el cronometrador da la señal la persona que tiene la lista
     tiene que describir la palabra sin usarla y su compañero tiene que
     intentar adivinarla. Si su compañero no lo consigue, el primer juga-
     dor puede seguir intentando definir la palabra o pasar a la siguiente.

3. Se les da un límite de tiempo, por ejemplo dos minutos, para intentar adivinar todas las palabras de la lista o tantas como puedan.
4. Al final del juego los jugadores cambian los papeles y juegan otra vez con una lista nueva de palabras. ¿Cuántas palabras se pueden adivinar en dos minutos?

Una variante de este juego consiste en usar una lista de verbos o adjetivos en vez de nombres para adivinar. Juega de manera que el jugador de la lista tenga que hacer mímica en vez de definir con palabras, o determina un límite de palabras en las definiciones, como que los niños sólo puedan usar cinco palabras o menos. Prueba a inventarte tu propio juego.

Habilidades clave: pensamiento rápido, vocabulario y fluidez verbal.

97. Carrera de libros   *9-12 años*

Suele ser difícil hacer que los niños busquen cosas, por ejemplo en el diccionario, en una enciclopedia o en un atlas. Pero hacer de ello un juego puede ayudar y convertirlo en una práctica útil para averiguar cosas con libros de referencia u otras fuentes de información.

Para jugar a *Carrera de libros* necesitarás una copia del mismo libro de referencia para cada jugador. El juego mejorará la velocidad y capacidad de tu hijo para usar libros de consulta, además de ayudarle a adquirir nuevos conocimientos.

Se puede jugar con un solo jugador, pero es mejor cuando dos o más compiten entre sí.

• *Carrera de diccionarios*
  A cada jugador se le da un libro de consulta como un diccionario.
  1. Alguien escoge o dice una palabra.
  2. Los jugadores compiten para encontrar la palabra en su libro de consulta o diccionario.
  3. El primer jugador en encontrar la palabra y leer la definición en voz alta es el ganador.

Una versión alternativa es pedir a los jugadores que encuentren tan rápido como puedan una palabra de dos, tres, cuatro o cinco letras y demás, que empiecen por una letra en concreto. Inventa otro tipo de palabras para buscar, como palabras que terminen en «-ología». Dales un minuto para encontrar la palabra más larga del diccionario o de otro libro, o la palabra más larga que empiece por... (una letra).

Discute con tu hijo la manera más rápida de encontrar una palabra en un diccionario (u otra fuente de consulta). Juega a carreras con libros usando diferentes fuentes como:

- diccionarios
- enciclopedias
- la Biblia u otros textos religiosos
- listines telefónicos
- ordenadores
- bibliotecas

Es mejor que el juego sea corto y que juguéis regularmente.

Habilidades clave: leer por encima y rápidamente, uso de libros de referencia, investigación y lenguaje.

98. Juegos de memoria   *9+ años*

Los juegos de memoria son buenos para mejorar la memoria de tu hijo y su capacidad de concentrarse y visualizar cosas en el «ojo de la mente». Uno de los mejores es *Pelmanismo.*

- **Pelmanismo**
  Éste es un juego de memoria que se juega con una baraja de cartas. Pueden ser cartas de juego o cualquier baraja de cartas con dibujos o postales. Puede jugar cualquier número de personas.
  1. Coloca todas las cartas boca arriba en una mesa o en el suelo, para que todos los jugadores puedan verlas e intentar recordarlas, durante un minuto aproximadamente.

2. Pon todas las cartas boca abajo.
3. Los jugadores se turnan para escoger una carta. Deben decir cuál es o describirla antes de darle la vuelta para ver si la han identificado correctamente.
4. Si la han identificado correctamente se la quedan y pueden escoger otra de las cartas que están boca abajo, recordando identificar la que es antes de darle la vuelta. Si se equivocan, simplemente, se vuelve a poner la carta boca abajo.
5. Los jugadores se turnan hasta que se hayan cogido todas las cartas. El jugador que tiene más cartas al final del juego gana.

• **Dale la vuelta a las parejas**

Es una variante de *Pelmanismo*. Se juega del mismo modo pero los jugadores deben escoger e identificar dos cartas (parejas) a la vez. Varía el juego en otras partidas pidiéndoles que identifiquen tres cartas (tríos) o cuatro cartas (cuartetos).

• **¿Qué cartas se han movido?**

En este juego de memoria coloca un grupo de cartas al azar boca arriba en la mesa para que todos las vean. Los jugadores se tapan los ojos (o se dan la vuelta) mientras cambias la posición de algunas cartas. Los jugadores deben ver si pueden observar las diferencias.

*Véase también **El juego de Kim** (página 104).*

Habilidades clave: memoria, visualización y concentración.

99. Consecuencias que riman   *9 años-adulto*

Éste es un juego para niños con experiencia con rimas y se construye a partir de los juegos con rimas de las páginas 68 y 107. El objetivo del juego es elaborar sorprendentes versos de cuatro líneas (cuartetos). Cualquier número de personas puede jugar individualmente o en parejas. Necesitarán un bolígrafo o un lápiz y papel.

El juego se basa en el famoso juego de dibujar «consecuencias», donde los jugadores dibujan una cabeza, doblan el papel para que el siguiente jugador dibuje el cuerpo, después lo doblan y lo pasan al siguiente, que completa las piernas y los pies de la extraña criatura que ha sido dibujada en tres partes.

- **Consecuencias que riman**
    1. Cada jugador o equipo escribe el primer verso de un poema en la parte de arriba de un folio blanco y lo dobla para que nadie vea lo que hay escrito. Después escriben la última palabra de su verso en la parte de abajo del folio. Ésta será la última palabra que rima con el siguiente verso.
    2. Los jugadores intercambian sus folios doblados. El siguiente jugador no debe ver lo que se ha escrito y tiene que escribir el siguiente verso para que la última palabra rime con la palabra escrita en la parte de abajo.
    3. Repite el proceso hasta que se hayan escrito cuatro versos.
    4. Los folios se devuelven, se desdoblan y se leen los cuartetos en voz alta.

Cuando empecéis a jugar de nuevo, puede que los jugadores quieran variar el juego probando con un poema más largo, alterando el patrón ABAB o permitiendo que los participantes vean el verso anterior antes de componer el suyo.

Los jugadores pueden tener permiso para usar un diccionario de rimas con objeto de ayudarles a encontrar rimas de palabras difíciles.

Lee algunos libros de versos disparatados con tu hijo, encontrad y compartid vuestros poemas absurdos favoritos.

Habilidades clave: creatividad, lenguaje y capacidad de rimar.

100. Juegos de preguntas *9 años-adulto*

Los juegos de preguntas hacen que tu hijo coja práctica en hacer y responder preguntas. Puede jugar cualquier número de personas y no se necesita ningún material.

- **Sólo preguntas**

    Los jugadores intentan mantener una conversación usando sólo preguntas. Las preguntas deben tener sentido y no se puede repetir ninguna.

    1. El primer jugador hace una pregunta.
    2. El segundo jugador debe responder con otra pregunta. Por ejemplo, si la primera persona dice «¿Cómo te encuentras hoy?» y el segundo contesta «Muy bien, gracias», pierde. Pero si dice «¿Cómo crees que me encuentro?», el juego continúa.
    3. Un jugador pierde y queda eliminado si no contesta con una pregunta. Si un jugador está callado demasiado tiempo, repite una pregunta o hace una pregunta sin sentido, pierde.

    Una manera de puntuar es que cada jugador tenga «tres vidas» (simbolizadas por ejemplo con palillos o fichas). Cada vez que un jugador pierda (*véase* punto 3) pierde una «vida». Un jugador gana cuando todos los demás hayan perdido sus «vidas».

Figura 20.

Un juego popular de «sólo preguntas» aparece al principio de la obra de Tom Stoppard *Rosencrantz y Guidenstern han muerto.*

- **¿Cuántas preguntas?**

Los jugadores son retados a hacer tantas preguntas como puedan sobre una imagen u objeto misterioso, tanto individualmente como en parejas. Todo lo que necesitas son algunas imágenes u objetos interesantes.

1. Se presenta un objeto o una imagen. Se les da tiempo a los jugadores para pensar. El juego empieza con el primer jugador haciendo una pregunta sobre el objeto o la imagen.
2. El siguiente jugador debe hacer una pregunta diferente y el juego procede como *Sólo preguntas* (*véase* juego anterior).
3. El jugador que hace más preguntas es el ganador.

Se les puede pedir a los jugadores que anoten sus preguntas sobre el objeto misterioso en un límite de tiempo, dando un punto por cada pregunta y dos puntos por cada pregunta que nadie más haya hecho.

- **Sí, no y quizá**

La única regla de este juego es que no debes usar las palabras «sí», «no» o «quizá» cuando contestes a una pregunta. Por ejemplo, si te preguntan: «¿Te apetece un helado?» una buena respuesta podría ser «Me encantaría un helado», pero no «Sí, por favor». Un jugador pierde si dice «sí», «no» o «quizá» en su respuesta. Turnaos para hacer preguntas.

Habilidades clave: fluidez verbal y capacidad para preguntar.

101. Juegos con lápiz y papel   *9 años-adulto*

Algunos juegos tradicionales con lápiz y papel como *Casillas* son sencillos. Otros como *Batalla de barcos* son bastante complejos. Un juego fantástico para hacer que los niños piensen en palabras y cómo se deletrean es *El ahorcado*. Se puede jugar con un lápiz y un papel o en la playa dibujando con un palo en la arena. No hay límite de jugadores.

- **El ahorcado**

El objetivo del juego es descubrir la palabra secreta antes de que el hombre sea colgado en la horca.

1. Un jugador piensa en una palabra y dibuja una línea de guiones por cada letra de la palabra: _ _ a _ _
2. Los otros jugadores se turnan para adivinar una letra de la palabra, por ejemplo la «a» (es mejor empezar por vocales, ya que seguro que en la palabra hay por lo menos una).
3. Si la letra está en la palabra se escribe encima del guion donde aparezca, por ejemplo: _ _ a _ _
4. Si la letra aparece más de una vez se debe escribir en todos los lugares en que aparezca. Si la letra no aparece en la palabra, se dibuja una parte de la horca.
5. Los jugadores intentan adivinar las letras, o la palabra entera (el ejemplo anterior era «brazo»), antes de que el dibujo de la horca y el hombre sean completados (*véase* Figura 21).

Para los niños más pequeños es una buena idea escribir las letras que vayan diciendo para que sepan cuáles han usado ya.

Si el dibujo del «ahorcado» se completa, el primer jugador gana y revela cuál era la palabra secreta. Si los otros jugadores adivinan la palabra antes de que se termine el «ahorcado», ganan. En esta versión el dibujo del «ahorcado» tiene once elementos, así que los jugadores tienen once oportunidades.

Se puede hacer una versión más sencilla añadiendo, por ejemplo, ojos, nariz, boca, pelo o dedos para darles más oportunidades. Para aquellos a los que no les guste la idea de un hombre ahorcado, pueden jugar usando un dibujo diferente, como un manzano con diez «manzanas». Puedes también intentar limitar las palabras a una categoría en concreto, como «palabras científicas» o palabras que se adapten a cualquier tema de sus deberes.

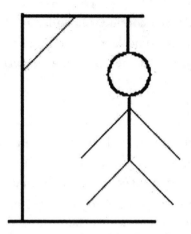

Figura 21. Dibujo del «ahorcado».

Habilidades clave: lenguaje, ortografía y vocabulario.

102. Más juegos de memoria   *9 años-adulto*

Estos tradicionales juegos de memoria se pueden jugar con cualquier número de personas y se pueden adaptar fácilmente.

* **El gato del ministro**
  1. La primera persona empieza diciendo: «El gato del ministro es un gato... y se llama...». Después de la palabra «gato» hay que decir un adjetivo con «a» (por ejemplo «aburrido») y el nombre del gato también debe empezar por «a» (por ejemplo, «Arturo»).
  2. La siguiente persona repite estas palabras y dice otra vez: «El gato del ministro es un gato... y se llama...» (esta vez diciendo palabras que empiecen por «b», por ejemplo «bonito» y «Bonifacio».
  3. El tercer jugador repite lo que han dicho el primero y el segundo y añade su versión con palabras que empiecen por «c», y así sucesivamente con el resto de jugadores pasando por todo el abecedario.

Un jugador queda eliminado si tarda mucho en pensar una palabra entre turnos, por ejemplo más de diez segundos. Cuando lleguen a la letra «x» el jugador puede usar palabras que empiecen por «ex», como por ejemplo

153

«experto». El juego puede continuar hasta la «z», donde el juego vuelve a empezar. Si una letra como la «z» es muy difícil, se puede descartar. El ganador es el jugador que queda jugando al final del juego o tras un tiempo establecido.

- **Test de memoria**

  Éste es un desafiante juego de memoria para tres o más jugadores. Empieza haciendo una lista de palabras numeradas del uno al diez. Los jugadores pueden sugerir las palabras mientras las escribes. Una vez tengáis la lista ya estáis preparados para jugar.

  1. Dile a los jugadores que escuchen con atención mientras lees en voz alta la lista con sus números, por ejemplo: «uno "banana", dos "balón", tres...» y demás.
  2. Tras leer di cualquier número del uno al diez. El jugador que diga (o escriba) la palabra que corresponde al número de la lista consigue un punto.
  3. El juego continúa diciendo otro número, hasta que se hayan dicho todos del uno al diez, comprobando cuántas palabras pueden recordar los jugadores.
  4. El juego puede, entonces, empezar otra vez con una nueva lista de palabras numeradas.

Discute varias maneras de recordar cosas. Para otros juegos de memoria *véase también* página 104.

Habilidades clave: memoria, concentración y capacidad de escuchar.

103. Crucigramas $\qquad$ *9 años-adulto*

Crucigramas es un sencillo pero desafiante juego, que además era el favorito de Lewis Carroll. El *Scrabble* y otros juegos de palabras populares se desarrollaron a partir de este juego. El objetivo es formar palabras en horizontal y en vertical en una cuadrícula de veinticinco casillas.

- **Crucigramas**
  1. A cada jugador se le da (o dibuja) una cuadrícula de 5 x 5 (*véase* Figura 22).
  2. El primer jugador dice una letra. Cada jugador escribe esa letra en cualquiera de las casillas de su cuadrícula, que no enseña al resto de jugadores.
  3. El siguiente jugador escoge la siguiente letra y cada jugador la escribe en cualquier casilla en blanco de su cuadrícula.
  4. El juego continúa y los jugadores se turnan para escoger la siguiente letra que todos deben añadir a su cuadrícula. Cada jugador intenta formar tantas palabras como sea posible, que se puedan leer o bien en vertical (de arriba abajo) o en horizontal (de izquierda a derecha).
  5. Se continúa escogiendo letras hasta que todas las casillas de la cuadrícula se hayan completado, es decir veinticinco letras. Se puede escoger cualquier letra más de una vez, pero no se pueden borrar ni cambiar de casilla.

Haz un seguimiento de las letras escogidas para que todos las vean y para que los jugadores puedan comprobar qué letras deberían haber usado. Al final del juego se intercambian las cuadrículas para puntuar. Un buen sistema de puntuación es dar diez puntos por una palabra de cinco letras, cinco puntos por una de cuatro letras, tres por una de tres letras y dos por una de dos letras.

- **Scrabble o Lexicon (hay una versión popular de este juego en Facebook)**
  Este clásico juego de cruzar palabras ayudará a desarrollar el lenguaje, el pensamiento estratégico y las aptitudes aritméticas (al añadir puntuaciones). El *Scrabble* es un juego mental ideal para todos los niños.

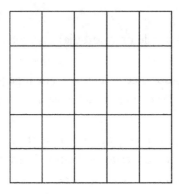

Figura 22. El juego se hace más largo con una cuadrícula de 6 x 6.

Habilidades clave: vocabulario, juegos de palabras y lenguaje.

104. Buscar palabras   *9 años-adulto*

Escoge cualquier palabra larga, o una frase, y reta a tu hijo a ver cuántas palabras puede formar usando sólo las letras que aparecen en esa palabra o frase. Se puede jugar como una competición entre jugadores, cooperando en parejas o simplemente para pasar un buen rato con tu hijo. Puedes dejar que tenga un diccionario para ayudarle a comprobar la ortografía.

- **Buscar palabras**
  1. Escoge una palabra larga como «crisantemo» o una frase típica como «Feliz Navidad». Intenta escoger una palabra o frase con varias vocales. Escribe la palabra para cada jugador.
  2. Los jugadores confeccionan una lista con todas las palabras que pueden encontrar en un tiempo límite. Decide de antemano si los nombres propios (por ejemplo, los de persona) o las abreviaciones están permitidos. La norma habitual es que sólo se permiten palabras que salgan en el diccionario.
  3. Al final del juego los jugadores suman el total de palabras que han encontrado. Otra manera de puntuar es según el número de letras, es decir, dos puntos por una palabra de dos letras, tres puntos por una de tres y demás.

El juego debería terminar tras un tiempo determinado o cuando los niños se aburran. Si les das las letras de la palabra en tarjetas o fichas para que las puedan mover mientras intentan encontrar palabras nuevas, les servirá de ayuda. Las letras de la palabra «crisantemo» podrían por ejemplo formar las palabras: «té», «santo», «monte» y «timo», pero no «casar» (ya que sólo hay una «A» en «crisantemo»).

Habilidades clave: creatividad, vocabulario y lenguaje.

105. Desconexiones   *9 años-adulto*

Ésta es una versión más difícil de *Conecta* (*véase* página 100). En este juego los jugadores deben decir una palabra que no tenga ningún tipo de conexión con la que hayan dicho antes. Si otro jugador descubre una conexión entre las dos palabras anteriores, puede ponerla en entredicho y decir cuál es la conexión. Se puede jugar con cualquier número de jugadores.

• **Desconexiones**
   Escoge el primer jugador para que empiece (para saber cómo escoger al primer jugador *véase* página 16).
   1. El primer jugador dice una palabra. Puede ser cualquier concepto, es decir, una palabra que exprese una idea como «comida» o «vacaciones», no un conector como «y».
   2. El siguiente jugador debe, entonces, decir una palabra que no tenga conexión con la anterior. Por ejemplo, si la primera palabra es «manzana», la siguiente podría ser «puente». Si nadie puede detectar una conexión entre las dos palabras, el juego continúa.
   3. El siguiente jugador debe ahora decir una palabra que no tenga conexión con la última («puente») y así sucesivamente.
   4. Si a un jugador se le ocurre una idea que conecte las dos últimas palabras, puede decir: «¡Alto!». Por ejemplo, si las palabras eran «bicicleta» y «tren», la discusión podría ser que ambos son medios de transporte. Si el jugador demuestra que hay una conexión, gana y el juego vuelve a comenzar.

Es una buena idea nombrar a un árbitro o someter a la votación de los otros jugadores cualquier conexión discutida, para ver si están de acuerdo o no en que se ha hecho una conexión verdadera.

Habilidades clave: aptitudes verbales, conceptuales y lenguaje.

106. Palabra secreta

Palabra secreta es un juego que ayuda a desarrollar el pensamiento lógico. Es un juego para dos personas y cada una necesita un bolígrafo o un lápiz y papel. El objetivo es descubrir la palabra secreta del otro jugador.

*   **Palabra secreta**
    1. Cada jugador escribe una palabra secreta de cuatro, cinco o seis letras, y dice cuántas letras contiene.
    2. El primer jugador dice una palabra que contenga el mismo número de letras que la palabra secreta del otro jugador.
    3. El segundo jugador, entonces, dice cuántas letras tiene esta palabra en común con su palabra secreta. Por ejemplo, si la palabra secreta es «muñeco» y el jugador dice «dulces», el primer jugador diría «tres letras» (en este caso «u», «c» y «e»).
    4. Los jugadores se turnan para adivinar la palabra del otro y decir cuántas letras tiene en común cada intento con su palabra, hasta que un jugador acierta cuál es la palabra secreta.

Para hacer el juego más fácil cada jugador podría decir los nombres de las letras, además de cuántas letras tienen en común las dos palabras.

*   **Códigos (mensajes secretos)**
    Los códigos son ideales para enviar mensajes secretos.
    1. Invéntate un código. Por ejemplo, haz de cada letra un número, es decir A = 1, B = 2, C = 3 y demás, o haz que cada letra represente a la siguiente, por ejemplo A = B, B = C, C = D y así sucesivamente.

2. Invéntate un mensaje para que tu hijo lo descifre. Al cabo de un rato deja que tu hijo sepa cuál es el código para que pueda descifrar el mensaje.

3. Anima a tu hijo a inventarse mensajes secretos para descifrarlos tú. Después de haber jugado con unos cuantos códigos, dale a tu hijo el mensaje secreto en un código sin decir cuál es y comprueba si lo puede descodificar.

*Véase también **Lógica con palabras** a continuación.*

Habilidades clave: deducción lógica y aptitudes verbales.

107. Lógica con palabras   *9 años-adulto*

El objetivo del juego es descubrir una palabra secreta mediante un proceso de lógica y deducción.

Se puede jugar individualmente o en parejas y se necesita un bolígrafo o un lápiz y papel.

- **Lógica con palabras**
  1. El primer jugador escoge una palabra de cuatro letras y la escribe sin enseñársela a nadie.
  2. La tarea del siguiente jugador es averiguar cuál podría ser la palabra mediante una serie de suposiciones y deducciones. Empieza intentando adivinar cuál podría ser la palabra.
  3. El primer jugador debe mostrar cuánto se ha acercado a la respuesta correcta usando estos símbolos:

* estrella = la letra correcta está antes en el abecedario.

△ triángulo = la letra correcta está después en el abecedario.

X cruz = la letra correcta está en el lugar equivocado.

✓ tic = la letra correcta está en el lugar correcto.

El primer jugador escribe cuánto se ha aproximado la respuesta usando un símbolo por cada letra. Por ejemplo, si la palabra era «plan» y la suposición era «asar», el primer jugador escribirá △* ✓*.

159

4. El segundo jugador, entonces, intenta adivinar otra vez usando las pistas que le han dado.

5. El juego continúa hasta que adivinan la palabra, ¡o hasta que el segundo jugador se rinda!

Prueba a jugar con palabras más largas o con un número limitado de turnos.

Habilidades clave: deducción lógica y aptitudes verbales.

108. Números misteriosos *9-12 años*

Para estos juegos con números misteriosos necesitarás un bolígrafo o un lápiz y papel. Requieren deducción lógica y ayudarán a tu hijo a desarrollar la comprensión de los números.

- **Número misterioso**
  Cualquier número de personas puede jugar a este juego de «leer la mente», en el que se necesita suerte y habilidad.
  1. El primer jugador piensa un número secreto entre el 0 y el 100 y lo escribe en secreto.
  2. Los otros jugadores tienen diez preguntas para intentar descubrir el número secreto.
  3. El jugador del número secreto sólo puede contestar «sí» o «no».

Si un jugador averigua el número dentro de las diez preguntas, gana. Si nadie lo averigua, gana el primer jugador y enseña cuál era el número. Los jugadores más mayores pueden probar con un número secreto entre el 0 y el 1.000 o 10.000.

- **Aciertos y errores**
  Éste es otro juego en el que los jugadores deben averiguar un número misterioso a través de un proceso de conjeturas y deducción. Los jugadores necesitarán un bolígrafo o un lápiz y papel.

1. El primer jugador piensa un número secreto de cuatro dígitos, por ejemplo 1.952 y lo escribe en secreto.
2. El siguiente jugador intenta adivinar cuál puede ser el número diciendo cualquier número de cuatro dígitos, por ejemplo 7.659.
3. El primer jugador debe mostrar cuánto se ha aproximado diciendo cuántos aciertos y errores ha tenido. Un acierto significa que la respuesta contiene el dígito correcto en la posición correcta. Un error significa que la respuesta contiene un dígito correcto pero en la posición equivocada. Por ejemplo, si el número secreto es 1.952 y la respuesta es 7.659, el primer jugador diría que hay un acierto y un error (el acierto es el cinco y el error es el nueve, ¡pero por supuesto no dará tantas pistas!).
4. El segundo o el siguiente jugador usa esa información para adivinar otra vez. El primer jugador dice, entonces, cuántos aciertos y errores ha habido.
5. El juego continúa hasta que un jugador averigua cuál era el número, ¡o hasta que se rindan y pidan ver cuál era!

Prueba a variar las normas, extendiendo el número a cinco dígitos o dando más pistas.

Habilidades clave: deducción lógica y comprensión numérica.

109. Batalla de números   *9 años-adulto*

Este juego requiere pensamiento estratégico y es una manera útil de practicar la aritmética mental. Se puede jugar en parejas o uno contra otro. Necesitarás un bolígrafo o un lápiz y papel, un área de juego de siete cuadrados o círculos dibujados en un papel y una moneda (los círculos se pueden dibujar alrededor de la moneda, como en la ilustración).

Figura 23.

- **Batalla de números**

  Cada jugador empieza con cien puntos. La moneda se coloca en el círculo o cuadrado del centro y el objetivo es moverla hacia el círculo del extremo más cercano al otro jugador.

  1. Los jugadores empiezan escribiendo en secreto el número de puntos que quieren usar en la siguiente batalla (el número mínimo es uno).

  2. Cuando ambos bandos han escrito su número, lo enseñan. El jugador o el bando con la mayor cantidad de puntos gana esa batalla y mueve la moneda una posición hacia el lado de su oponente.

  3. Después, ambos jugadores o bandos restan los puntos que hayan usado de su total de cien. (Cada bando puede comprobar el cálculo aritmético de sus oponentes en cada ronda).

  4. El juego continúa como antes. Cada bando escribe el número de puntos que quiere usar en la siguiente batalla, un jugador mueve la moneda una posición hacia su oponente y ambos bandos restan los puntos que han usado del resto de sus puntuación.

  5. El ganador es el jugador que hace llegar la moneda al extremo de su oponente (es decir, el que ha ganado tres batallas más que su oponente).

Si un jugador utiliza todos sus puntos, el otro puede tener turnos consecutivos. Si ambos jugadores usan todos sus puntos, se produce un empate.

Habilidades clave: pensamiento estratégico y cálculo mental.

110. Juegos de cálculo   *9 años-adulto*

Juega a juegos de cálculo para desarrollar la capacidad para hacer cálculos numéricos de tu hijo. Puede jugar cualquier número de personas y se necesitarán diferentes tipos de cosas para calcular su número, longitud, capacidad y peso.

- **Calcula**

  Prepara algunos materiales con los que desafiar a los jugadores para que calculen, por ejemplo, el número de páginas de un libro, los caramelos que hay en un paquete, la longitud de una prenda de vestir o de un juguete, el peso de una bolsa de comida, el tamaño de una pantalla de televisión y demás.

  1. Muestra a los jugadores un objeto como un tarro de alubias, un trozo de lazo o la bebida que queda en una botella. Pídeles que hagan una estimación en función de la medida que les des, como una cantidad, longitud (en centímetros), capacidad (en centilitros) o peso (en gramos).

  2. Dales tiempo para pensar, consultar y comparar con otros objetos ya medidos como una regla, un litro de un líquido o una lata de conservas de 500 gramos, para hacer una estimación.

  3. Deja que los jugadores calculen varios objetos y escriban sus estimaciones. Dales un minuto para cada cálculo.

  4. Comprueba las medidas reales, por ejemplo, contando, pesando o midiendo la cantidad real. Los ganadores son quienes hacen la medida más aproximada de cada objeto.

- **Agárralo**

  Necesitarás unos doscientos objetos pequeños colocados en un montón entre los jugadores. En este juego se les fija un objetivo a los jugadores, por ejemplo 35, e intentan coger ese número de objetos del montón en un solo puñado. Después se cuentan los objetos que han agarrado y el más cercano al número fijado gana.

  Otra versión es agarrar una pila de objetos y dejarlos para que todos los vean. ¿Pueden los jugadores estimar cuántos hay en el montón? La estimación más aproximada gana.

- **Mídeme**

  Haz una lista con distintas partes del cuerpo de tu hijo para que haga diferentes estimaciones y las compruebe, por ejemplo, ¿cuántas pulsaciones tiene en un minuto?, ¿cuánto mide su nariz?, ¿cuánto pesa su cabeza?

¿A qué distancia estás de París? ¿Estás más cerca de Nueva York o de Moscú? Usa un atlas o un globo terráqueo para estimar y medir distancias entre lugares. *Véase también Juegos con mapas página 115.*

Habilidades clave: medidas matemáticas, valoración práctica y elecciones razonadas.

111. Juegos topológicos   *9 años-adulto*

Éste es un juego con un laberinto en el que es cuestión de lógica y habilidad crear diferentes rutas. Está basado en un juego inventado por un profesor americano llamado Gale. Necesitarás un bolígrafo o un lápiz y papel o un tablero preparado para jugar. Requiere dos jugadores individuales o dos parejas.

- **Topológico**

  Necesitas dibujar un tablero (como en la ilustración de la página siguinte). El objetivo del juego es llegar de un extremo del tablero al otro, tanto de izquierda a derecha (las filas con círculos) o de arriba abajo (las filas con cruces). El problema es que el otro jugador también debe intentar llegar de un lado al otro en el otro sentido y os intentaréis bloquear uno al otro. El ganador es el primer jugador que cruza el tablero.

  1. Los jugadores escogen atravesar por las líneas con círculos o con cruces.
  2. El jugador que escoge la línea de círculos empieza y une dos círculos consecutivos con una línea recta.
  3. El jugador que escoge la línea de cruces une dos cruces consecutivas con una línea recta.
  4. Los jugadores se turnan para continuar uniendo una línea al punto previo de su ruta. Las líneas pueden ir en cualquier dirección. La única regla que hay que recordar es que las líneas no deben cruzarse.
  5. El ganador es el primer jugador que dibuja una línea ininterrumpida a través del tablero.

Probablemente, las dos líneas se retorcerán sobre sí mismas por todo el tablero.

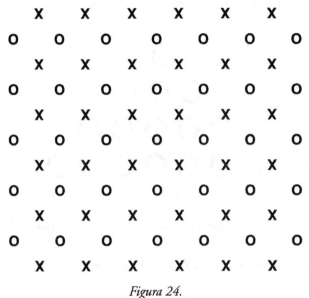

Figura 24.

La topología se refiere al estudio de la relación entre lugares y espacios como en mapas, laberintos y formas geométricas. Prueba a inventar un juego de topología distinto con un tablero o normas diferentes. Recopila ejemplos de laberintos para que tu hijo los resuelva y cread vuestros propios puzles juntos.

Habilidades clave: comprensión visual y espacial, pensamiento lógico y predicción.

112. Nim   *9 años-adulto*

Este juego de estrategia se hizo popular en la película *El año pasado en Marienbad*. El nombre proviene de la palabra alemana *nimmt* ("coger"). Se juega con dos jugadores, pero también en parejas o equipos.

- **Nim**

Necesitarás dieciséis fichas, monedas o palillos.

1. Coloca las fichas de la siguiente manera:

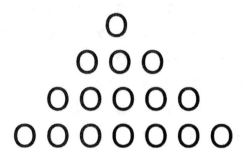

Figura 25.

2. Los jugadores se turnan para quitar una o dos fichas de cualquier fila.
3. El perdedor (o el ganador) es el jugador que coge la última ficha.

¿Puedes encontrar una estrategia para ganar? Intenta crear tu propia versión del juego variando el número de fichas en cada fila, el número de filas o el número de fichas. A continuación, tienes una variante de *Nim*.

- **Nim 2**

1. Las fichas se colocan en una cuadrícula de 4 x 4 como en la ilustración:

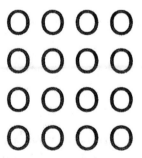

Figura 26.

2. Los jugadores se turnan para coger cualquier número de fichas que estén juntas de cualquier fila horizontal o vertical. Por ejem-

plo, si una fila tiene ⭕⭕ ⭕ un jugador podría mover cualquiera de las dos primeras (ya que hay un hueco en la fila) o la última.

3. El perdedor (o el ganador) es el jugador que coge la última ficha.

Crea tu propia versión variando el número de fichas en cada fila, el número de filas o de fichas. Éste, por ejemplo, es un juego que se llama *Tableta de chocolate*.

- **Tableta de chocolate**
Dibuja una tableta de chocolate, como la de la ilustración, con cualquier número de «porciones» cuadradas. Los jugadores se turnan para escoger y «comerse» (o tachar) una o dos porciones, empezando con cualquier porción de la parte exterior de la tableta. ¡El perdedor es el jugador que se queda con el último trozo!

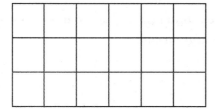

Figura 27.

Habilidades clave: pensamiento lógico, predicción y conciencia estratégica.

113. Cinco en raya   *9 años-adulto*

Ésta es una versión de *Go*, el juego nacional en Japón, que fue inventado en China hace tres mil años. Es el juego de mesa más antiguo que todavía se juega hoy regularmente. Al igual que el ajedrez, es un juego de estrategia y planificación. Es para dos jugadores o dos parejas. Se necesita una tabla dibujada en un papel (el papel cuadriculado es ideal para esto) o en una cartulina, consistente en diecinueve líneas horizontales y verticales (*véase* Figura 28). Tradicionalmente cada jugador jugaba con cien fichas blancas o negras, llamadas «piedras», pero en este juego cada jugador tiene su propio color o símbolo que, cuando llega su turno, dibuja en la casilla que elija en el «tablero» de papel. El objetivo es conseguir colocar cinco símbolos o cinco casillas del mismo color en línea.

- **Go-muku**

  Esta versión más sencilla de *Go* se llama *Go-muku*.

  1. Los dos jugadores, o parejas de jugadores, escogen colores o símbolos distintos y juegan en un tablero de papel cuadriculado de 19 x 19 líneas, como se muestra en la ilustración.
  2. Los jugadores se turnan para colorear o dibujar su símbolo en una casilla vacía.
  3. El primer jugador que consiga cinco en línea es el ganador.

  Si ninguno lo consigue se produce un empate.

Los jugadores deben intentar conseguir cinco en línea a la vez que intentan evitar que el otro jugador haga lo mismo. Ganar puede requerir pensar mucho estratégicamente.

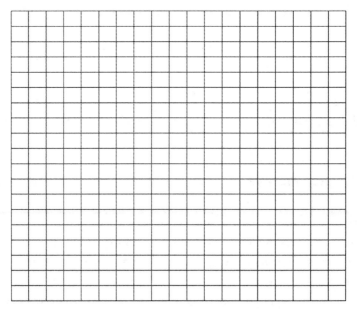

Figura 28.

Habilidades clave: pensamiento lógico, predicción y conciencia estratégica.

114. Más juegos para dibujar

Algunos niños aprenden cosas observando y les encanta dibujar, pero otros no. Los juegos para dibujar pueden ayudar a todos los niños a desarrollar su capacidad creativa y visual. Tan sólo se necesita un bolígrafo o un lápiz y papel.

- **Carrera de dibujos**
  Éste es un juego para dos jugadores o equipos. Se escriben papelitos con nombres de objetos, por ejemplo, «cerdo», «plátano», «autobús», «narciso», «paraguas», «semáforo». Se necesita una lista idéntica para cada jugador o equipo. Se colocan boca abajo delante de cada uno de ellos.
  1. A una señal, un jugador le da la vuelta al primer papelito para ver el nombre del objeto y, sin enseñárselo ni decírselo a su compañero, dibuja lo que hay escrito.
  2. El compañero debe identificar correctamente lo que representa el dibujo. Cuando lo hace, se le da la vuelta al siguiente papelito y se dibuja como antes.
  3. El primer jugador o equipo que dibuja e identifica correctamente todos los objetos gana.

Un buen número de objetos para dibujar es cinco. En otras rondas se pueden escoger cosas más difíciles de dibujar.

- **Dibujo con los ojos vendados**
  Pide uno o dos voluntarios para hacer un dibujo con los ojos vendados. Dales algo con lo que dibujar como bolígrafos, rotuladores o tizas, y una superficie para dibujar como una hoja grande de papel o una pizarra.
  1. Dales a los jugadores un tema para dibujar como un autorretrato, su casa, su colegio, una vaca, un florero o enséñales un dibujo para que lo copien.
  2. Dales utensilios para dibujar, enséñales la superficie donde van a dibujar y véndales los ojos.
  3. Los artistas, con los ojos vendados, se esfuerzan en dibujar el tema que les han dado lo mejor posible.

4. Cuando los jugadores han completado su dibujo, paran y se quitan la venda.

5. Muestran sus dibujos y, si es una competición, se juzgan (tal vez por alguien que no sepa quién es el autor de cada dibujo).

Habilidades clave: manipulación, creatividad y pensamiento visual.

115. Juegos de cartas para niños mayores   *9+ años*

Los juegos de cartas pueden ser una fuente interminable de estímulos y diversión para personas de todas las edades. Muchos juegos de cartas requieren bazas. Después de aprender *Bazas* y *Triunfos*, están listos para *Whist* y *Whist alemán* y, más adelante, para intentar el juego más desafiante de todos: el *Bridge*.

- **Bazas**
  Éste es un buen juego para aprender bazas. Puede jugar cualquier número de personas.
  1. Se reparten cuatro cartas a cada jugador.
  2. El jugador más joven pone su carta más alta boca arriba en medio de la mesa, por ejemplo, el diez de trébol.
  3. Los otros jugadores se turnan para colocar una carta de ese palo, por ejemplo trébol, encima de esa carta. Si no tienen una carta de ese palo pueden jugar cualquier otra carta. El siguiente jugador debe de nuevo jugar una carta del palo de la primera, por ejemplo trébol.
  4. Cuando cada jugador haya jugado una carta, el jugador que jugó la carta más alta del palo gana (*véase* página 127). Recoge las cartas y las coloca en una pila bien hecha delante de él. Ésta es su primera baza.
  5. El ganador de la baza escoge otra carta para empezar a jugar la siguiente. El ganador de esta baza lleva a la siguiente y así sucesivamente hasta que se hayan ganado las cuatro bazas.

Prueba a jugar con más cartas (cinco cartas = cinco bazas, seis cartas = seis bazas y demás).

Figura 29.

- **Triunfos**

  Se juega como *Bazas* (juego anterior), pero se escoge un palo del triunfo. Los triunfos se pueden escoger después de repartir dándole la vuelta a la siguiente carta y viendo de qué palo es. Cualquier carta del palo del triunfo gana a cualquier otra carta excepto a un triunfo más alto. Por ejemplo, si los corazones son triunfos, un dos de corazones gana a cualquier carta de diamantes, trébol o picas pero es superado por cualquier carta de corazones más alta, por ejemplo, el tres de corazones. Los jugadores deben aun así seguir jugando el mismo palo si pueden, pero pueden jugar un triunfo si no tienen una carta de ese palo. Si se juegan triunfos, el más alto gana esa baza.

- **Whist**

  Es un juego de triunfos que se juega con siete cartas cada uno. Cuando hay dos jugadores, gana el que consigue cuatro bazas.

Hay muchas variantes de *Whist*, aunque la más interesante es el *Whist alemán*. Otros fantásticos juegos de cartas para niños mayores incluyen *Rummy* y *Cribbage*.

Habilidades clave: seguir las reglas y pensamiento estratégico.

116. Más juegos de mesa *9 años-adulto*

El juego de mesa más desafiante para cualquier niño es el ajedrez. Sin embargo, hay muchos juegos de mesa tradicionales más fáciles que hacen que los niños piensen. Uno de esta familia de juegos que se juega por todo el mundo se llama *Zurro y gansos* (o *Vacas y leopardos* o *Los pastores y el lobo*).

- **Los pastores y el lobo**

  Se juega en un tablero de ajedrez, con cuatro fichas blancas y cuatro fichas negras (*véase* Figura 30).

  Los pastores se colocan en las casillas negras en un extremo del tablero, defendiendo el redil, mientras que el lobo puede empezar en cualquier casilla negra. Los pastores se mueven una casilla por turno en diagonal hacia una casilla negra vacía, como en las *Damas*, pero no puede moverse hacia atrás. El lobo sólo puede moverse una casilla en diagonal, también en las negras, pero hacia delante o hacia atrás como un rey en las *Damas*. Ni los pastores ni el lobo pueden saltar por encima del otro ni capturarle.

  1. Los pastores hacen su primer movimiento.
  2. Los pastores ganan el juego si pueden atrapar al lobo para que no haga un movimiento válido (es decir, dos pasos diagonales en cualquier dirección).
  3. El lobo gana si puede pasar por delante de los pastores y alcanzar su extremo del tablero (el redil).

Al final del juego, los jugadores se cambian los papeles y los lados del tablero. Intentad jugar de manera que el lobo pueda mover dos casillas en diagonal de una vez.

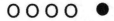

Figura 30.

- **El zorro y los gansos**

  Este juego se puede jugar en un tablero de ajedrez (como el juego anterior), un tablero del solitario o en las intersecciones de un tablero especial. Hay doce fichas blancas (gansos), que empiezan en las tres primeras filas de casillas negras, y una ficha blanca (el zorro) que empieza en una de las casillas de las esquinas del tablero.

  El primer jugador mueve el zorro, el otro jugador mueve los gansos. El zorro se puede mover una casilla en cualquier dirección o saltar por encima de un ganso si está a su lado. Si a un ganso le han pasado por encima, se retira del tablero. El lobo debe caer en una casilla vacía. Un ganso sólo se puede mover hacia delante o hacia los lados, y no puede saltar. Si el zorro se come tantos gansos como para no poder ser atrapado, entonces gana. Si los gansos acorralan al zorro, los gansos ganan el juego.

  En el tablero que se muestra en la página siguiente hay trece gansos y un zorro.

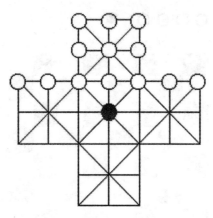

Figura 31.

Habilidades clave: pensamiento estratégico, planificación y pensamiento lógico.

117. Números secretos

9 años-adulto

Ser capaz de hacer matemáticas en tu cabeza es una habilidad importante, así que practica juegos de inteligencia de matemáticas con tu hijo.

- **Números secretos**
  Es un juego de «leer la mente» que motiva la deducción lógica además de la comprensión numérica. Cualquier número de jugadores puede jugar y no requiere preparación.
  1. Un jugador se ofrece voluntario para pensar un número secreto entre 0 y 100 (al jugador se le puede pedir que anote el número si existe algún riesgo de que se olvide, ¡o de que haga trampas!).
  2. El resto de jugadores tienen diez preguntas para intentar descubrir el número secreto.
  3. El jugador que averigüe el número secreto dentro del límite de preguntas gana y puede empezar la siguiente ronda. Si nadie acierta el número secreto, gana el primer jugador.

Cuando juegues con un niño más pequeño prueba un límite más bajo, como entre 0 y 20 o entre 0 y 50. Cuando acertar un número secreto entre

0 y 100 sea fácil, prueba entre 1 y 1.000 y después entre 1 y 10.000. Discutid qué preguntas ayudan más a estrechar las posibles respuestas. Una buena pregunta para empezar sería: « ¿Es el número par o impar?».

Adapta el juego para encontrar un animal misterioso o cualquier otro objeto «secreto» y dile a tu hijo que adivine lo que es con el mínimo de preguntas posibles.

- **Piensa un número**
  1. Dile a tu hijo: «Piensa un número secreto entre el uno y el diez. Multiplícalo por dos. Súmale cinco y réstale tres. Divídelo entre dos. Réstale el número que has pensado al principio». Dale tiempo a tu hijo para que haga los cálculos en su cabeza (o en un papel si le parece muy difícil). Después dile la respuesta que debería tener, que es el número siete. Prueba otros rompecabezas de pensar un número como por ejemplo:
  2. Piensa un número. Multiplícalo por dos. Súmale el número que has pensado antes. Multiplícalo por dos. Súmale el número que hayas pensado antes. Divídelo entre siete. La respuesta es el número con el que has empezado.
  3. Piensa un número. Multiplícalo por dos. Vuelve a multiplicarlo por dos. Añade el número que has pensado al principio. Divídelo entre cinco. Tu respuesta es el número con el que has empezado.

Las fórmulas con «piensa un número» de arriba son lo que en matemáticas se llaman «algoritmos». Comprueba si tu hijo y tú podéis inventar vuestras propias fórmulas con «piensa un número».

Habilidades clave: cálculo mental, formulación de preguntas y deducción lógica.

118. El gran Panjandrum (o Letra venenosa)   *9 años-adulto*

Este es un sencillo juego para adultos y niños que sepan deletrear palabras de la vida cotidiana. No se necesita nada y se puede jugar en cualquier sitio.

- **El gran Panjandrum**
  1. Para cada ronda se escoge una letra del abecedario para que sea la letra venenosa. Cada jugador se turna para escoger la letra y empezar la ronda diciendo: «Al gran Panjandrum no le gusta la letra… ¿Qué podemos…?». Por ejemplo: «Al gran Panjandrum no le gusta la letra "t". ¿Qué podemos darle para que se vista?».
  2. Cada jugador por turnos intenta contestar con palabras que no incluyan la letra venenosa. (En nuestro ejemplo las respuestas podrían incluir camisa, jersey, sandalias, gorra o gafas de sol; pero no pantalones, camiseta o zapatos, ya que contienen la letra «t»). los jugadores no pueden repetir palabras que se hayan dicho y deben contestar en diez segundos a partir de la respuesta anterior. Cualquier jugador que tarde demasiado, no pueda dar una respuesta correcta o diga una palabra que contenga la letra venenosa, queda eliminado en esa ronda. El juego continúa hasta que todos los jugadores excepto uno quede eliminado. El último jugador gana la ronda.
  3. El jugador que gana la ronda escoge la siguiente letra venenosa y una pregunta. Algunos ejemplos de pregunta son:

     ¿Qué le podemos dar de comer?
     ¿Qué flores le gustan?
     ¿Cuál es su color favorito?
     ¿Qué hizo esta mañana?

  4. El ganador general es el jugador que gana más rondas, quizá después de que cada jugador haya escogido una letra venenosa y una pregunta, o después de un límite acordado de tiempo.

Habilidades clave: lenguaje y pensamiento creativo.

119. Tangrams

El *Tangram* se inventó en China y significa «siete tablas de astucia». Es un puzle de disección que consta de siete formas planas, llamadas *tans*, que se colocan juntas para formar figuras. El objetivo del puzle es formar una figura específica (mostrada sólo en el esquema de la silueta) usando las siete piezas, que no se pueden superponer. Se ha convertido en el puzle más popular del mundo y es fácil hacerse con un juego de piezas comercial, o puedes hacerlas tú mismo con cartulina (*véase* Figura 32).

• **Tangram**
  Las siete piezas, que forman un cuadrado, incluyen cinco triángulos, un rectángulo (o trapecio) y un cuadrado. Usando las siete piezas desafía a tu hijo para que haga una figura interesante. Mira la ilustración para ver algunas figuras interesantes que puede hacer tu hijo.

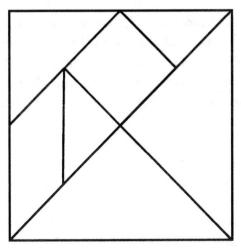

Figura 32.

Habilidades clave: aptitudes visuales y resolución de problemas.

120. Preguntas peliagudas *9 años-adulto*

El mundo que nos rodea está lleno de incógnitas y las preguntas más interesantes pueden ser las que tu hijo se plantea. Algunas de estas preguntas peliagudas pueden ser simples dudas sobre cómo funciona el mundo (preguntas «empíricas»), como: «¿Por qué el cielo es azul?». Si tu hijo te hace esta pregunta, antes de decirle: «Búscalo en Google», síguele el juego y pregúntale: «¿Cuál puede ser la razón?». Si no tienes tiempo de discutir una pregunta peliaguda que te haga tu hijo, dile que lo discutiréis más tarde. Es preguntando el modo en que tu hijo averigua cosas del mundo y de lo que le extraña, le interesa o le desconcierta de él. Así que intenta no ignorar sus preguntas, ¡o puede que deje de hacerlas! Algunas de las preguntas de tu hijo pueden ser preguntas éticas (sobre lo que está bien y lo que está mal) como: «¿Está bien matar a alguien en algún caso?», o preguntas controvertidas como: «¿Qué pasa cuando te mueres?» o «¿Los fantasmas existen?».

También puedes proponer a tu hijo que piense preguntas peliagudas, tal vez inspiradas en los cuentos que leéis juntos, en películas o en programas de televisión. La vida cotidiana también puede ser una fuente de inspiración, como las noticias, los problemas locales o las creencias religiosas. Puedes introducir y discutir con tu hijo algunas preguntas peliagudas a cualquier hora en cualquier lugar.

- **Preguntas peliagudas**
  Aquí tienes algunas preguntas peliagudas para pensar con tu hijo:

  1. ¿Cómo sabes que no estás soñando en este momento?
  2. ¿Cómo sabes cuando una cosa es verdad o no?
  3. ¿Una manzana está viva o muerta?
  4. ¿Está bien comer animales?
  5. ¿Cuál es la diferencia entre fingir y mentir?
  6. ¿Cuál es la diferencia entre una persona real y un robot?
  7. ¿Hay alguna diferencia entre tu mente y tu cerebro?
  8. ¿Los animales pueden pensar?
  9. ¿Está bien decir mentiras en algún caso?
  10. ¿Cuáles son las cosas más valiosas de tu vida?

Figura 33.

Habilidades clave: hacer preguntas, plantear hipótesis, razonamiento y pensamiento creativo.

Nota: para más recursos sobre cómo enseñar a los niños a pensar visita la página web de Robert Fisher www.teachingthinking.net

Juegos de viaje

En un largo viaje de coche con tus hijos te familiarizarás con la pregunta: «¿Hemos llegado ya?», ¡o alguna de sus variantes! Viajar puede resultar bastante aburrido para los niños cuando se tarda lo que para ellos parecen horas. Aquí tienes algunos juegos de viaje que captarán el interés de las mentes aburridas.

1. Juegos de viaje para niños pequeños

- **Busca**
  Pon a prueba la capacidad de observación de los jugadores haciendo que busquen cosas.
  1. Un jugador escoge un objeto para que lo busquen los demás jugadores. Por ejemplo: vacas, un paraguas, un avión, un policía, un tipo de pájaro, un autocar, un coche deportivo rojo, el número siete, un triángulo, algo violeta, etcétera.
  2. La primera persona que ve el objeto consigue un punto.
  3. El jugador con la puntuación más alta tras un tiempo, por ejemplo diez minutos, gana el juego.

- **¿Cuál es la melodía?**

  Es un sencillo juego que se puede adaptar a jugadores de todas las edades.

  1. Un jugador empieza a tararear una canción conocida.
  2. Cuando un jugador cree que sabe cuál es la canción, cantan uno o dos compases. Si aciertan, escogen otra canción que tararear. Si fallan, el resto de jugadores continúa intentando acertar la canción.

  Si tus hijos no son muy musicales, podrías grabar un CD con unas veinte o treinta canciones que conozcan. Los jugadores ganan un punto por cada canción que puedan identificar.

- **Busca una letra**

  Es un juego adecuado para niños de todas las edades y se puede jugar tanto individualmente como en parejas.

  1. El primer jugador dice el sonido de una letra, por ejemplo la «b» y dice: «¿Ves algo que empiece por "b"?». Los jugadores buscan un objeto (dentro o fuera del coche) que empiece con el sonido de esa letra.
  2. El jugador que encuentra un objeto escoge otra letra o sonido, como la «p» y empiezan a buscar el siguiente objeto.

- **Busca el alfabeto o Veo, veo de la A a la Z**

  Los jugadores intentan, por turnos, buscar cosas que empiecen con cada letra del abecedario de la A a la Z. Con las letras más difíciles, por ejemplo «q», «w», «x» y «z», puedes dejar que busquen palabras que contengan esa letra en vez de empezar por ella, por ejemplo, carteles, nombres de tiendas, etcétera.

- **El juego de los cinco sentidos**

  1. Nombra un objeto que veas mientras vais en coche, por ejemplo un árbol, una vaca, un neumático, etcétera.
  2. Dile a tu hijo que lo describa usando los cinco sentidos: «¿Qué aspecto tiene el objeto?», «¿qué sonidos hace?», «¿qué sabor tendría?», «¿cómo olería?», «¿cuál es su tacto?». Esto animará a tu hijo a pensar de forma creativa y analítica sobre las cosas que le rodean.

Otros juegos de viaje ideales para niños pequeños son:
- *Veo, veo* (*véase también* página 67).
- Juegos de memoria como *En mi maleta* o *El gato de mi abuela* (página 104).
- Juegos con rimas (página 68).
- Juegos de preguntas (página 60).

Habilidades clave: observación, lenguaje y aptitudes sensoriales.

2. Juegos de viaje para niños mayores

Los juegos con matrículas se pueden jugar con cualquier número de jugadores. Prueba estos tres juegos:

- **Nombres raros**
  Es un divertido juego de pensar rápido para una familia que viaja en coche.
  1. Escoge las iniciales de la matrícula de cualquier coche que veas.
  2. Usando las letras, pero ignorando los números, cada jugador se inventa un nombre de persona usando las iniciales en orden. Por ejemplo BPL podría convertirse en «Boris Patrick Lane» o «Becky Paula Lincoln».
  3. No hay ganadores ni perdedores, aunque el ganador podría ser el que haga el nombre más original.

- **Frases tontas**
  Es otro divertido juego para pensadores rápidos.
  1. Escoge las iniciales de la matrícula de cualquier vehículo que veas.
  2. Usando las letras e ignorando los números, cada jugador se inventa una frase con palabras que empiecen con las letras de la matrícula. Por ejemplo, «CPC» podría ser «cuidado pandas cruzando». Los jugadores pueden escoger algunas o todas las letras de la matrícula para incluirlas en su frase.
  3. No hay ganadores ni perdedores, aunque el ganador podría ser el que hiciera la frase más tonta.

- **Haz una palabra**

  Es un juego más desafiante para jugar con matrículas de coche.
  1. Cada jugador busca las letras de una matrícula de un vehículo que vean.
  2. Cada uno intenta pensar en una palabra que contenga las letras de la matrícula, ignorando los números. La palabra debe contener todas las letras en su orden correcto, por ejemplo BLO podría ser «BLOc» o «BaLÓn», CLN podría ser «CoLiNa» y LPZ podría ser «LáPiZ».

Pueden sumar un punto por cada letra de la palabra, por ejemplo, «balón» sería cinco puntos y «colina» seis puntos. El ganador es el jugador con la puntuación más alta.

- **Búsqueda de viaje**

  Necesitas preparar una lista de unos treinta objetos para cada jugador. La lista podría ser distinta para cada uno de ellos y con los más pequeños se podrían usar dibujos en vez de palabras.
  1. Cuando cada jugador vea un objeto de su lista, lo tacha.
  2. El primer jugador que termina su lista gana.

Escoge objetos que probablemente verán durante el viaje, por ejemplo: poste de telégrafos, supermercado, casa de ladrillos, tractor, avión, caballo, granero, pizzería, bicicleta, gaviota, policía, gasolinera, etcétera.

Otros juegos de viaje ideales para niños mayores son:
- *Conecta* (*véase* página 100) o *Desconexiones* (*véase* página 157).
- Juegos de preguntas como *Veinte preguntas* (*véase* página 97).
- *Juegos de memoria* (*véase* página 104).
- *¿En qué estoy pensando?* (*véase* página 140).

Habilidades clave: observación y lenguaje.

Índice de juegos mentales

Índice